I fy ngŵr Aled, a'r plant, Hedd, Gwenno a Guto.
Cariad a dychymyg yw'r ddau beth pwysicaf i gyd.

Caryl Lewis

Cyhoeddwyd yn gyntaf yn Saesneg yn 2022 gan
Macmillan Children's Books, gwasgnod o Pan Macmillan

Argraffiad cyntaf o'r addasiad Cymraeg: 2022
© Hawlfraint Caryl Lewis, 2022
© Hawlfraint lluniau George Ermos, 2022
© Hawlfraint yr addasiad Cymraeg Meinir Wyn Edwards, 2022

Delwedd y clawr: George Ermos

Rhif Llyfr Rhyngwladol: 978 1 80099 218 4

Dymuna'r cyhoeddwyr gydnabod cymorth ariannol
Cyngor Llyfrau Cymru

Cyhoeddwyd ac argraffwyd yng Nghymru
ar bapur o goedwigoedd cynaliadwy gan
Y Lolfa Cyf., Talybont, Ceredigion SY24 5HE
e-bost ylolfa@ylolfa.com
gwefan www.ylolfa.com
ffôn 01970 832 304
ffacs 01970 832 782

PENNOD UN

Dyma restr o bethau oedd gan dad-cu Marty:

1 sbectol (1 fraich wedi torri)

7 dant

1 fflat fach un stafell uwchben tafarn y Llew Coch

1 hen injan wedi torri

457 bag te

1 twb o laeth powdr

Digon o amser

1 rhandir a sied (gyda map y byd anferth wedi ei hongian ar y wal tu fewn)

1 cadair wersylla wichlyd sydd bron â llyncu unrhyw un sy'n eistedd arni'n rhyfedd

Llygaid glas disglair iawn

1 hen het drilbi

1 catalog hadau Hodgkins & Taylor & Sons

1 tun bisgedi gwag

Efallai fod hyn yn edrych fel tipyn o bethau, ond dyw e ddim go iawn. Ddim o'i gymharu â phopeth oedd gan fam Marty. Roedd ganddi hi filiynau o bethau. Biliwn a thriliwn diddiwedd o bethau. Petai rhywun yn sgwennu rhestr i chi, byddech chi'n dal i'w darllen hi petaech chi'n byw i fod yn gant oed. Mae'n rhestr mor hir achos mae mam Marty yn cadw popeth. Papurau newydd a sgidiau, peiriannau torri gwair wedi torri a llyfrau heb eu darllen a fframiau wedi torri a, wel, POPETH. Pan oedd hi, amser maith yn ôl, yn gadael y tŷ, allai hi ddim pasio sgip ar ymyl y ffordd heb ddod â rhywbeth 'o werth' adre, a byddai'n stompio'n flin petai rhywun yn awgrymu taflu unrhyw beth.

Roedd Marty'n byw yn y tŷ ym mhen draw'r ffordd, yr un â'r ardd wedi tyfu'n wyllt ac yn llawn dop o stwff. Roedd hen beiriannau golchi wedi torri a phentyrrau o garpedi wedi eu rholio fel sigârs gwlyb. Roedd ceblau'n troelli mewn cylchoedd a hen soffas yn eistedd ar ben ei gilydd. Doedd y tŷ ddim yn fawr – byngalo gyda phedair stafell fach, cegin gul a stafell sgwâr yn y cefn – ond roedd fel petai'n lleihau ac yn crebachu wrth i Marty dyfu'n fwy. Ddim mynd yn llai go iawn, fel hud a lledrith, ond roedd llai o le yn bendant.

Doedd Marty ddim yn gallu cofio bod yn y lolfa o gwbwl

– roedd wedi bod mor orlawn o stwff erioed. Ond roedd e fel petai'n cofio sleifio i stafell wely Mam a Dad unwaith – pan oedd e'n fach, a'i dad yn dal i fyw gyda nhw – a dringo i'r gwely i gael cwtshys ganol nos. Erbyn hyn, roedd hi'n amhosib mynd i mewn oherwydd roedd stwff yn rhwystro'r drws rhag agor.

Bob yn dipyn roedd y coridorau wedi llenwi ar hyd y ddwy wal, gan adael dim ond llwybr cul o'r gegin i'w stafell wely. Dim ond un cwpwrdd yn y gegin roedd hi'n bosib mynd ato, a'r sinc, wel, roedd hwnnw wastad yn gorlifo o lestri. Byddai Mam yn cysgu yng nghefn y gegin erbyn hyn, ar gadair esmwyth wrth y drws cefn, a'r unig bryd y byddai hi'n mynd allan fyddai i eistedd ar stepen y drws i gael smôc. Yn y stafell molchi, roedd hen lythyrau a bagiau o ddillad yn llenwi'r bath, ac fe fyddai'n rhaid iddo sefyll wrth y sinc a molchi ar ei draed, gyda chlwtyn a sebon a chydig ddiferion o ddŵr gweddol gynnes.

Hyd yn hyn, roedd Marty wedi llwyddo i achub ei stafell wely. Bob tro roedd llond bag o stwff yn cael ei roi yno, byddai Marty'n ei gario allan. Roedd e fel petai'n sefyll ar lan y môr ac yn trio gwthio'r tonnau yn ôl gyda'i ddwylo. Dyma pam roedd Marty'n mynd i'r rhandir i weithio yn yr ardd gymunedol gyda'i dad-cu bob dydd ar ôl ysgol er bod dim byd i'w wneud yno, a dweud y gwir, dim ond eistedd y tu allan i'r sied gyda'i gilydd yn yfed te o fygiau enamel. Ond roedd y rhandir yn hafan dawel o'r tŷ gorlawn, a'r teimlad o gael eich boddi gan y llanw o stwff.

'Iawn, boi?' meddai Tad-cu, gan wenu ei wên ddiddannedd ac estyn paned o de melys â chyflenwad o leiaf wythnos o siwgr ynddi.

Eisteddodd Marty yn dawel a chodi ei ysgwyddau. Nawr, roedd Tad-cu fel arfer yn llawn egni direidus, â sbarc yn ei lygaid, ond heddiw roedd e fel potel bop lawn swigod. Doedd hyn ddim yn beth anghyffredin, achos roedd Tad-cu'n aml yn gyffro i gyd am y pethau rhyfeddaf. Fel yr adeg roedd e'n meddwl ei fod wedi creu tanwydd newydd sbon allan o ddail rhiwbob ac eisiau galw NASA. A phan adeiladodd beiriant malu malwod allan o chwe phâr o fŵts a hen hwfyr. O ie, a phan greodd y Crafwr Pen-ôl 2000, a'r Llwy De Otomatig 250 a oedd wedi troi a throi te Marty fel ei fod yn sblasho o ochr i ochr yn fwy a mwy ffyrnig tan i don o de berwedig dasgu o'r mŷg enamel ac roedd rhaid i Marty a Tad-cu daflu eu hunain i'r llawr i osgoi cael eu llosgi. Ond heddiw, roedd Marty'n synhwyro bod rhywbeth arbennig ar fin digwydd.

'Ma rhywbeth gyda fi i ti,' gwenodd. 'Dwi wedi gorfod aros wythnosau amdano fe!'

Tynnodd amlen fach frown o'i boced a'i hestyn iddo.

'Pen-blwydd hapus, Marty.'

Cochodd Marty. Roedd e'n meddwl bod pawb wedi anghofio am ei ben-blwydd. Ddwedodd ei fam ddim byd. Roedd Marty ei hun wedi trio anghofio hefyd. Tan nawr.

'Fel ti'n gwbod, sdim lot o arian gyda fi, ond o'n i eisie cael rhywbeth bach sbesial i ti...'

Doedd Marty byth yn cael lot o bresantau ac ers i'r tŷ lenwi doedd Marty ddim wir eisiau rhagor o 'stwff', ond roedd hi'n deimlad braf fod Tad-cu wedi cofio, o leia.

'Agor e, 'te,' meddai Tad-cu'n eiddgar, ei lygaid yn erfyn ar Marty i rwygo'r amlen ar agor. Er nad plentyn oedd Marty rhagor, roedd e'n dal i deimlo'n swil wrth gael ei wylio'n agor presant.

Cymerodd Marty ei amser. Rhoddodd ei gwpan i lawr a gwthio'i fys o dan fflap yr amlen. Amlen fach frown, sgwâr oedd hi, fel yr un roedd ei fam yn derbyn ei chyflog ynddi pan oedd hi'n gweithio yn y siop. Roedd Tad-cu yn gwenu arno. Roedd yr amlen yn ysgafn, fel petai'n wag. Agorodd hi, a'i siglo ben i waered dros ei law agored. Syrthiodd hedyn

bach allan. A syrthiodd calon Marty chydig bach, bach hefyd.

'Waw!' meddai. 'Hedyn!'

'Un o hadau gorau Hodgkins a Taylor, i ti gael gwbod!'

Roedd Tad-cu'n dal i wenu fel giât arno. Doedd Marty ddim yn gwybod beth i'w ddisgwyl ond ddim hyn, yn sicr. Llyncodd ychydig ar ei siom.

'Grêt, Tad-cu,' clywodd ei hun yn dweud. 'Diolch yn fawr...'

Edrychodd Marty ar yr hedyn yn ei law. Roedd yr hedyn yn reit fawr, am hedyn! Yn llyfn ac yn grwn, ac roedd streipiau arno, fel petai'n gwisgo pyjamas. Astudiodd e'n ofalus. Roedd e'n rhy fawr i fod yn hedyn blodyn haul, ac roedd y siâp yn rhy biplyd i fod yn flodyn…

'Hedyn beth yw e?'

Gwenodd Tad-cu o glust i glust.

'A-ha! Dyna'r syrpréis, boi! Dim ond un hedyn fel'na ro'n i'n gallu fforddio, felly gobeithio bod e'n un da!'

Sylwodd Tad-cu ar y siom ar wyneb ei ŵyr.

'Gwranda,' meddai, 'mae'n ddrwg gyda fi na allen i brynu un o'r gemau cyfrifiadur 'na i ti, na'r holl bethau sydd gan blant dyddiau 'ma. Rhodden i'r byd i gyd i ti 'tawn i'n gallu, ti'n gwbod hynny, yn dwyt ti?'

'Dwi'n gwbod,' meddai Marty yn dawel.

'A ti byth yn gwbod pa wyrth dyfith o'r un hedyn bach 'ma,' meddai, gan gymryd yr hedyn o law Marty. 'Mae 'na hud mewn hadau,' winciodd. 'Dyw rhywun byth yn gwbod pa ryfeddode sydd ynddyn nhw. Duw a ŵyr beth dyfith ohonyn nhw.'

Edrychodd Marty ar ei dad-cu gyda'i gymysgedd arferol o gariad a dryswch.

'Mae'n hedyn bendigedig,' meddai o'r diwedd.

Daliodd Tad-cu'r hedyn i fyny i olau olaf y dydd, ei gorff yn crynu gan gyffro.

'Ti'n iawn, boi, mae'n fen-di-gedig! Mae'n rhyfeddol o hardd!'

PENNOD DAU

Dyma restr o bethau oedd gan Marty:

1 hen feic BMX

2 jwmper sy'n ei ffitio – 1 goch, 1 las

Gymaint o lyfrau ag y gall e eu tynnu o'r holl annibendod yn y tŷ

1 fam sy'n gwrthod gadael y tŷ

1 model bach 5cm o Dŵr Eiffel. Cafodd hwn gan y tad roedd e heb ei weld ers pan oedd e'n bedair oed ac y byddai'n ei gario yn ei boced bob dydd.

Gwisg ysgol gafodd e gan yr ysgol, yn cynnwys:

1 pâr o drowsus ag enw Harri Tomos wedi ei wnïo tu fewn

1 crys-T ag enw Nathan Sharp mewn inc y tu fewn i'r coler

1 jwmper ysgol ag enw Lee Smith ar y label golchi dillad (Doedd Marty ddim yn poeni am beidio cael ei wisg ysgol ei hunan, ond pan fyddai wedi colli dilledyn amser egwyl neu

ar ôl gwers ymarfer corff byddai'n rhaid cofio pedwar enw – un Marty ei hunan, a'r tri enw arall, er mwyn cael y dillad iawn yn ôl.)

Hanner pecyn o losin taffi

1 gwely sengl a dwfe Mickey Mouse plentynnaidd

'Dwi'n ôl!' gwaeddodd Marty, ond doedd ei lais ddim yn cario'n bell. Fel'na oedd hi yn eu tŷ nhw. Roedd gymaint o annibendod fel ei fod yn mygu pob sŵn. Roedd y lle'n gwasgu pob llais yn dawel ac yn llonydd. Caeodd Marty ddrws y ffrynt. Roedd wedi bod yn nôl swper a photel o laeth o'r siop ac wedi hongian y bag plastig ar handlenni ei feic BMX wrth reidio adre. Pei oedd i swper heno eto, fel arfer, gan ei fod yn dod mewn tun yn barod, ac roedd Marty wedi darganfod, ar ôl golchi'r tun a'i ychwanegu at y pentwr o duniau gwag eraill, eu bod nhw'n ffitio'n daclus un tu fewn i'r llall yn ddigon hawdd heb gymryd lot o le.

'Ti wedi cymryd dy dabledi?' gwaeddodd.

'Ydw!' Daeth rhyw lais bach aneglur yn ôl. Gallai Marty glywed ei fam yn llusgo pethau ar hyd y llawr.

'Be ti'n neud?' gwaeddodd Marty.

'Gei di weld!'

Byddai Mam yn cysgu lot, ond roedd hi wastad wedi

blino, felly roedd hi'n rhyfedd iawn ei chlywed hi'n symud o gwmpas gymaint. Agorodd Marty dun y pei, a gwthio'r llestri brwnt yn y sinc i'r ochr fel ei fod yn gallu rhoi'r tegell dan y tap i ferwi dŵr i wneud te i'w fam.

Tynnodd ddau blât brwnt o'r sinc a'u rhoi dan y tap i'w golchi. Gosododd y pei yn y ffwrn a throi larwm y cloc i ugain munud.

Pan aeth i mewn i'r stafell gefn, roedd e'n methu credu ei lygaid. Roedd ei fam wedi clirio un gornel. Roedd hi'n sefyll yno, yn boeth ac yn chwys i gyd mewn crys-T llac, ei gwallt wedi ei glymu ar dop ei phen, a golwg benderfynol yn ei llygaid. Roedd hi wedi rhoi rhywfaint o bapurach mewn bag. Roedd hi wedi ffeindio sachau sbwriel du ac wedi llenwi o leia ddwy ohonyn nhw. Roedd hi allan o wynt yn lân.

'Dwi'n gallu neud hyn,' meddai, a gwên falch ar ei hwyneb.

Suddodd calon Marty. O na, dim eto, meddyliodd.

'Dwi bron clirio fan hyn i gyd.'

Edrychodd Marty o gwmpas, ac oedd, roedd un gornel fach yn wag ond roedd pob man arall heb newid dim. Byddai ei fam yn gwneud hyn weithiau, fel petai'n llawn bywyd am ychydig bach, yn deffro, yn edrych o'i chwmpas

ac yn meddwl 'mae hyn yn wirion' ac yn
dechrau clirio. Ac weithiau byddai hynny'n para
am ddiwrnod cyfan, weithiau am wythnos, ond byth mwy
na hynny. Yna byddai'r niwl yn dod yn ôl, a'i chorff yn arafu,
a byddai'r annibendod yn ôl hefyd fesul tipyn, yn waeth nag
erioed.

'Wel, be ti'n feddwl?' holodd, gan wenu.

'Grêt,' meddai Marty. Oedd yn gelwydd noeth.

'Ydy, mae e!' meddai hi, gan edrych o'i chwmpas yn falch,
a'i dwylo ar ei chluniau. 'Dwi'n mynd i gael trefn go iawn
tro 'ma...'

Teimlodd Marty ryw gwlwm yn ei stumog.

'Wrth gwrs,' meddai Marty. 'Reit, ma swper yn y ffwrn.'

Nodiodd ei fam.

'Rodda i showt i ti pan fydd e'n barod.'

'Iawn!' gwaeddodd. Ac aeth hi'n ôl at y clirio, a'i llygaid yn disgleirio.

Aeth Marty'n ôl i'r gegin. Roedd y ffordd roedden nhw'n byw yn ei ddiflasu weithiau. Y cywilydd, y rhwystredigaeth, yr ysfa iddi fod yn normal. Weithiau, dyna i gyd roedd e eisiau oedd mam normal, mam oedd yn swnian arno i dacluso ei stafell, ond dros y blynyddoedd, roedd Marty fel petai wedi llwyddo i greu gofod gwag yn ei ben. Stafell wag y gallai stwffio esgusodion i mewn iddi – 'Sori, alli di ddim dod i tŷ ni, dyw Mam ddim adre' a 'Sori, syr, dwi wedi gadael fy llyfr yn y llyfrgell' neu 'Do, fuon *ni* bant ar wyliau dros yr haf hefyd.' Roedd wedi llwyddo i wthio'r esgusodion i mewn i'w ben a chau'r drws yn glep arnyn nhw. Ac fel hyn, dros amser, roedd e wedi dod i arfer â pheidio meddwl gormod am bethau.

Roedd Tad-cu wedi trio helpu flynyddoedd yn ôl. Daeth draw unwaith, gyda rhai o'i ffrindiau. Fe wnaethon nhw logi sgip, a'r bwced mawr melyn yma, a chraen lorri bechingalw i'w osod yn yr ardd. Agoron nhw'r drws cefn a dechrau cario stwff i'r sgip. Roedd Mam wedi bod yn dynn wrth eu sodlau drwy'r dydd, yn gwasgu ei dwylo'n nerfus a dweud, 'Na, dim hwnna! Dim hwnna!' neu 'Na, dwi eisie hwnna, bydd e'n handi rhywbryd!' Roedd Marty'n deall, mewn ffordd, pam fyddai hi eisiau cadw llyfrau a phethau fel'na, ond pwy yn y byd sydd angen chwe gwresogydd wedi torri neu bentwr o fframiau ffenestri gwahanol? Cofiodd am Tad-cu a Mam yn gweiddi ar ei gilydd, yn uwch ac yn uwch, nes i ffrindiau Tad-cu fynd i eistedd yn y fan. Dyna'r tro olaf i'r ddau siarad â'i gilydd. Roedd Tad-cu wedi cadw draw wedyn a doedd e bron byth yn holi sut oedd Mam rhagor.

Canodd cloch y ffwrn. Rhannodd Marty'r pei rhwng y ddau blât a cherddodd wysg ei ochr ar hyd y cyntedd lle roedd Mam yn eistedd yn yr hen gadair esmwyth, wedi blino'n lân. Estynnodd Marty'r plât iddi. Chwythodd ei bochau allan...

'Jiw, be fysen i'n neud hebddot ti, e?'

Cododd Marty ei ysgwyddau ac eistedd ar yr un pentwr o bapurau newydd ag arfer.

'Ti'n angel, ti'n gwbod 'ny?'

Gwyliodd Marty ei fam yn dechrau bwyta'i swper, a chwympodd ei wên yn ara bach.

PENNOD TRI

Roedd e'n dechrau gyda'r criw-treinyrs-newydd bob tro. Nhw oedd prif reibwyr yr ysgol, yn barod i ymosod ar eu prae – roedd fel petai ganddyn nhw ryw chweched synnwyr. Gallen nhw synhwyro plant fel Marty o bell yn ceisio cadw proffeil isel, yn sgampran o gwmpas yr ysgol, a bydden nhw'n ymosod heb rybudd. Yn y ciw cinio, 'Hei, pwpsi!'; amser egwyl, 'Oreit, drewgi!' ac wrth i Marty ddatglymu ei feic BMX cyn reidio i'r rhandir, 'Ha-ha! Ydy hwnna hyd yn oed yn gweithio? Bydde cerdded yn gynt, mêt!'

Roedd yr athrawon yn dweud wrtho am eu hanwybyddu. Roedd Mr Garraway, cynghorwr yr ysgol, yn dweud wrtho am beidio ag 'ymgysylltu'. Roedd ei fam yn dweud wrtho am gerdded i ffwrdd, ond gan Tad-cu y cafodd y cyngor gorau. Ei gyngor e i Marty oedd galw enwau arnyn nhw yn dawel bach dan ei anadl. Enwau ofnadwy, creulon, drwg, enwau i wneud i chi gochi a chodi croen gŵydd. Geiriau ddylech chi BYTH eu dweud yn uchel. Geiriau allai eich cael chi i lot o drwbwl. Ac, yn rhyfedd iawn, roedd hynny fel petai'n gweithio. Fel dal eich llaw mewn dŵr rhewllyd, gallech ei ddiodde'n hirach os oedd eich meddwl chi yn y lle iawn. Adrodd geiriau ofnadwy dan ei anadl roedd Marty'n ei wneud pan glywodd lais yn dweud,

'Hei, ddylet ti ddim defnyddio geiriau fel'na, ti'n gwbod.'

Bu bron i Marty neidio allan o'i groen.

'Fflipin ec!' gwaeddodd. 'Ddylet *ti* ddim sleifio lan arna i fel'na chwaith.'

Gwenodd y ferch. Llwyddodd Marty i ddatod clo ei feic o'r diwedd.

'Ma eisie olew ar hwnna.'

Roedd hi'n iawn. Safodd y ferch yno'n gwenu arno ac yn sydyn roedd Marty'n teimlo'n grac.

'Shwt wyt ti'n gwbod beth ddwedes i, eniwei?' gofynnodd.

'Darllen gwefusau.'

'Be? Oes gyda ti ryw bŵer arallfydol neu rywbeth?' holodd, yn ddiamynedd.

'Os ti'n galw bod yn fyddar yn bŵer arallfydol, wel, oes.'

Toddodd ei dymer yn drueni. 'O, sori,' meddai Marty.

'Sori am be? 'Mod i'n fyddar? Neu bod gyda ti'r un sgiliau cymdeithasol â *baked bean*?'

Chwarddodd Marty yn uchel. Gwenodd y ferch, ac yna sythodd ei gwên.

'Ddylet ti ddim gadael iddyn nhw siarad â ti fel'na.'

Cododd Marty ei ysgwyddau.

'Gracie dwi…' meddai hi.

'Marty dwi…' atebodd.

Roedd e wedi sylwi ar y ferch yma o'r blaen. Roedd hi wedi dechrau'r ysgol rai misoedd yn ôl ac fel pob disgybl newydd cafodd ei hamgylchynu gan nifer o 'ffrindiau' chwilfrydig am ddiwrnod neu ddau, cyn cael ei gadael ar ei phen ei hun ar ôl i'r newydd-deb bylu. Er eu bod nhw yn yr un flwyddyn ysgol, roedd Gracie mewn dosbarth gwahanol, felly doedden nhw ddim wedi dod ar draws ei gilydd yn aml. Roedd hi'n un o'r rhai tebyg-i-bawb-arall yna. Gwallt brown. Brychni haul. Ddim yn fawr. Ddim yn fach. Ddim yn dal. Ddim yn fyr. Rhyw fath o fan canol cyffredin. Yr unig beth anghyffredin amdani – a doedd e ddim wedi sylwi tan nawr – oedd y cymorth clyw yn ei chlust, a rhyw fath o fotwm dan ei gwallt.

'Ddylet ti ddim rhythu arna i fel'na chwaith!' meddai Gracie.

'O, na, do'n i ddim.'

'O't ti *yn*! Ti ffaelu dweud celwydd i achub dy fywyd. Ti *rili* yn bach o ddisaster, on'd wyt ti?'

Roedd hi'n dal i wenu arno. Aeth Marty'n ôl i deimlo'n grac.

'Sori, rhaid i fi fynd,' meddai Marty, gan droi ei feic i wynebu'r ffordd arall.

Roedd e'n aml yn teimlo fel petai ei ben yn rhy lydan i'w ysgwyddau cul, a bod ei ddillad ddau faint yn rhy fawr a bod ei wallt – roedd e'n ei dorri ei hunan yn y stafell molchi – yn sgi-wiff. Ond roedd sefyll o'i blaen hi yn gwneud iddo deimlo'n waeth – yn ganwaith gwaeth.

'Wela i di rywbryd eto,' meddai gan droi i adael.

'Ie, falle,' meddai'r ferch. 'Joia yn y rhandir.'

'Hei, wow funud, shwt ti'n gwbod...?' Trodd yn ôl ati, ond roedd hi wedi dechrau cerdded i ffwrdd.

Cyrhaeddodd y drewdod Marty tua hanner milltir o'r rhandir. Cochodd ei wyneb a sylweddolodd yn syth beth oedd yn digwydd. Bob blwyddyn, ar ddechrau'r gwanwyn, byddai Tad-cu'n mynd i ddrws cefn y Pysgoty ar Heol Barlys i nôl llond bwced o esgyrn a phennau a pherfedd y pysgod mwyaf drewllyd, mwyaf stinclyd, mwyaf ych-a-fi-llyd erioed. Mwyaf cyfoglyd, troi-stumogllyd, chwydlyd oedd y gymysgedd, gorau oll. Byddai Tad-cu'n gwenu fel giât wrth gario'r bwced o glŵp drwy'r dre, yn codi llaw a dweud 'bore da' yn hapus wrth bawb y byddai'n eu pasio ac yna'n chwerthin yn uchel wrth eu clywed yn gagio y tu ôl iddo. Yna, ar ôl cyrraedd y rhandir, byddai'n taenu'r gymysgedd afiach dros y pridd a byddai'r drewdod yn ddigon i wneud i'r adar lewygu, ac i'r cymdogion droi'n wyrdd a gweiddi enwau cas arno.

'Ble wyt ti wedi bod, 'machgen i? Ti'n hwyr, ti'n hwyr! Dere i weld, dere!'

Gwthiodd Marty'r gât fach ar agor.

'Hm, dwi'n meddwl 'mod i'n gwbod be *ti* wedi bod yn neud, Tad-cu!'

'Mae popeth wedi cael trochiad dda o'r stwff!' meddai Tad-cu gan ddangos ei wên cerrig beddi arferol.

Ar ôl rhoi'r gymysgedd lwyd siclyd ar bopeth, byddai'n rhoi faint oedd ar ôl mewn potel, gan daeru mai dyna'r moddion gorau yn y byd i bridd.

Roedd canol y dref yn llawn cyfoeth ar un adeg – roedd y tai mawr a'r banciau yn dyst i hynny – ond erbyn hyn roedd busnes wedi crebachu. Caewyd y ffatrïoedd a'r gweithfeydd ac roedd y tai mawr wedi cael eu troi'n fflatiau. Roedd nifer o siopau wedi cau ar y brif stryd a'r unig dai mawr ar ôl oedd y rhai uchel, tri llawr oedd yn sefyll wrth ochr y rhandiroedd.

Roedd rhandir Tad-cu tua naw metr wrth dri metr. Doedd e ddim yn fawr, ond roedd Marty'n synnu faint o fwyd fedrai Tad-cu ei dyfu mewn lle mor fach. Byddai'n plannu tatws, cidnabêns, pwmpenni, corbwmpenni, pys a moron a winwns a bitrwt. Byddai'n rhannu hadau llysiau gyda John Trinidad, ei gymydog Caribïaidd ar y rhandir nesa, a chael rhyw lysiau a salads yn ôl ganddo nad oedd Tad-cu'n gallu ynganu eu henwau hyd yn oed. Byddai Sadiq, tri rhandir i lawr, yn rhoi hadau perlysiau a rhyw ddeiliach gwyrdd trofannol iddo, a tsilis digon poeth i ffrwydro'ch pen. Byddai Colin, dyn llaeth, yn tyfu'r blodau *dahlia* harddaf yn y byd.

Roedd y rhandiroedd fel tref fach wrth ymyl y dref go iawn, lle byddech chi'n gallu rhoi'ch enw i lawr i gael darn o dir doedd y Cyngor ddim yn gwybod beth i'w wneud ag e. Ac er bod y garddwyr yno'n siarad pob math o ieithoedd gwahanol ac yn edrych yn wahanol i'w gilydd ac yn tyfu pethau gwahanol, roedd ganddyn nhw i gyd ddau beth yn gyffredin: a) roedd pawb yn brin o arian ac wrth eu bodd yn gallu tyfu ychydig o fwyd iddyn nhw eu hunain, a b) roedd pawb yn rhannu'r un angerdd wrth wylio pethau'n tyfu o had.

Byddai Marty'n chwerthin wrth eu gweld yn helpu ei gilydd ond doedden nhw BYTH yn rhannu cyfrinachau nac unrhyw driciau arbennig. Roedd elfen o 'gystadleuaeth iach' rhwng pawb, yn ôl Tad-cu.

Roedd Tad-cu yn storio popeth roedd ei angen arno i weithio'r tir yn ei sied – offer, hen ac ail-law neu wedi eu benthyg, amlenni i gadw hadau, cratiau pren i storio llysiau dros y gaeaf, a llyfr nodiadau mawr lle byddai'n nodi beth roedd wedi'i blannu bob blwyddyn a ble. Os ydych chi'n plannu pethau yn yr un lle flwyddyn ar ôl blwyddyn gall pla neu haint dreiddio i'r pridd a difetha'r planhigion, felly roedd Tad-cu yn symud pethau o gwmpas, fel petai'r rhandir yn rhyw fath o gêm fwrdd gymhleth. Weithiau, os nad oedd y glŵp pysgod yn gweithio, byddai'n taenu lludw o'r tân ar y pridd. Ac os nad oedd hwnnw'n gweithio byddai'n gwneud cymysgedd o ddŵr a danadl poethion. Byddai'n gadael y deiliach pigog (a rhai cynhwysion cyfrinachol eraill) i drwytho mewn bwced o ddŵr am wythnosau ac wythnosau er mwyn creu hylif gwyrdd tywyll drewllyd, llysnafeddog oedd yn berffaith i dyfu llysiau mawr blasus.

Roedd hi'n ddiwedd mis Ebrill, a'r rhandir yn edrych yn wag, y gwlâu hadau a'r pridd yn foel, ond roedd digon o waith paratoi a hau i'w wneud. Byddai Tad-cu'n dweud mai dyma'r cyfnod o waith caled er mwyn gweld ffrwyth ei lafur yn nes ymlaen, hyd yn oed os nad oedd llawer i'w weld yn digwydd ar y pryd.

Heddiw, roedd wedi bod yn brysur yn paratoi lle i hau hedyn Marty, ac roedd yn neidio o un droed i'r llall, heb sylwi o gwbwl ar y drewdod afiach oedd yn glynu i bopeth.

'Mae'n mynd i gael y gwely gorau yn yr holl le,' meddai Tad-cu yn falch.

Drwy'r dydd roedd Tad-cu wedi bod yn chwynnu, yn ccibio ac yn cribinio, a rhaid dweud bod y gwely pridd yn edrych yn ddigon da i gysgu arno. Yna, aeth i nôl ei gwpan enamel. Ynddo roedd yr hedyn, yn ymdrochi mewn dŵr.

'Be ti'n neud? Boddi fe?' gofynnodd Marty.

Gwenodd Tad-cu.

'Naaa, dwi'n ei ddihuno fe.'

Gafaelodd Tad-cu yn yr hedyn llithrig a'i roi yn nwylo Marty.

'Gwna di e,' meddai, fel petai'n berfformiad hud a lledrith. Agorodd ei lygaid yn fawr, fel plentyn bach yn rhes flaen y syrcas.

'Fi?'

'Ie, dy hedyn di yw e. Rho'r pen cul yn y pridd.'

'Pa mor ddwfn?' gofynnodd Marty.

'Rhyw bum centimetr,' atebodd Tad-cu.

Aeth Marty yn agosach at y gwely pridd.

'Yn y canol! Ma eisie digon o le iddo dyfu!' meddai Tad-cu.

Daliodd Marty'r hedyn yn ei law am eiliad. Ei ganol tew rhwng ei fysedd. Yna penliniodd, dewis y man perffaith, a gwthio'r hedyn yn araf, gyda'r pen cul am i lawr, i mewn i'r pridd briwsionllyd. Wrth iddo bwyso'i drwyn yn agosach i'r pridd, gallai arogli pysgod a danadl poethion wedi pydru a phob math o bethau ych a fi. Edrychodd Tad-cu arno, wedi ei swyno. Gwyliodd Marty'r hedyn yn diflannu i mewn i'r pridd tywyll ond wrth i'w fysedd wthio'n ddyfnach,

digwyddodd rhywbeth rhyfedd. Am eiliad fach, roedd e'n siŵr fod yr hedyn wedi fflachio'n wyn llachar. Teimlodd wres sydyn yn tanio drwy ei fysedd ac ar hyd ei fraich fel sioc drydanol. Tasgodd ei law yn ôl.

'Be sy'n bod?' holodd Tad-cu.

Neidiodd Marty ar ei draed, ei galon yn curo'n gyflym.

'Marty?'

Siglodd Marty ei ben. Roedd hyn yn wirion. Daliodd ei fysedd poeth yn ei law arall. Rhaid ei fod wedi dychmygu'r peth. Edrychodd ar Tad-cu.

'D-d-dim byd,' meddai. 'Dim byd...'

'Iawn,' meddai Tad-cu, gan glapio'i ddwylo, 'gwna'n siŵr ei fod yn gyfforddus yn ei wely, a dwed nos da wrtho. Ganwn ni gân fach iddo fe?'

'Na!' gwenodd Marty, ei feddwl yn bell, gan wasgu pridd yn dyner dros yr hedyn.

Rhoddodd Tad-cu slap iddo ar ei ysgwydd a gwenu.

'Ry'n ni'n dau'n mynd i gael sbort!' meddai, cyn mynd i'r sied i ferwi'r tegell. Sychodd Marty ei fysedd ar ei drowsus, a'r rheini'n dal i gosi fel pinnau bach.

PENNOD PEDWAR

Roedd Marty'n breuddwydio am yr hedyn pan glywodd synau ganol nos. A dweud y gwir, doedd hi ddim yn anghyffredin i glywed tirlithriadau am dri o'r gloch y bore yn nhŷ Marty. Roedd ei fam yn gwneud yn siŵr ei bod yn pentyrru pethau'n ofalus ac yn ddiogel ar ben ei gilydd, ond weithiau byddai un peth bach yn symud ac yna byddai fel effaith dominos – un pentwr yn taro pentwr arall a byddai hanner cynnwys y stafell wedi symud i un ochr yn bendramwnwgl. Byddai Marty'n deffro weithiau mewn chwys oer, ar ôl breuddwydio ei fod yn mygu dan bentwr o bethau.

Yn y bore, cododd, gwisgo ei drowsus (roedd e'n cysgu yn ei grys-T a'i sanau a'i bants) a cherdded ar hyd y coridor cul i'r gegin gefn.

Doedd Marty ddim cweit yn gallu credu ei lygaid. Roedd y stafell yn glir. Y stafell gefn i gyd. Roedd tipyn o olwg ar y carped, yn frwnt a llawn staeniau, ond heblaw am hynny, doedd dim byd yna. Dim ond ei fam, a'i chadair. A'r hen chwaraewr recordiau. Doedd hi erioed wedi gwneud gymaint o glirio â hyn o'r blaen. Roedd y stwff i gyd mewn bagiau un ar ben y llall wrth y drws cefn, hyd at dop y wal. Roedd hi hyd yn oed wedi rhoi blanced bach ar y llawr a gosod picnic arno. Wel, ambell baced o greision a diod o sgwosh...

'Pen-blwydd hapus, Marty!' gwaeddodd.

Meddyliodd Marty a ddylai ddweud bod ei ben-blwydd wedi bod, ond penderfynodd beidio.

'Diolch, Mam!'

'Wel, be ti'n feddwl?!'

'Sai... sai... sai'n gwbod bcth i ddweud...' cyfaddefodd Marty. 'Fuest ti wrthi drwy'r nos?'

'Jyst â bod,' meddai. 'Dwi wedi cael cliriad a hanner! Dere, ishte fan hyn...' Tarodd y llawr wrth ei hymyl ac eisteddodd Marty, yn betrus.

'B'yta...' meddai gan daflu paced o greision ato, ac agor un iddi hi ei hun.

'Mae'r lle'n teimlo'n rhyfedd, ti'n meddwl?' meddai wrth grensian ei chreision.

Ac roedd y stafell *yn* teimlo'n od. Ac yn fawr. Roedd y stafell fel petai'n anferthol. Doedd hi ddim, wrth gwrs, dim ond teimlo fel hynny oedd hi ar ôl bod yn llawn dop o annibendod.

'Gwranda, mae hyd yn oed adlais 'ma nawr... MAE MRS PRITCHARD DRWS NESA YN BOEN YN Y PEN-ÔL!' gwaeddodd ar dop ei llais.

Chwarddodd Marty. 'Mam!' Ond roedd hi'n iawn. Roedd adlais o ryw fath. 'Ma Mrs Pritchard yn iawn...'

'Nadi ddim,' meddai Mam, 'mae'n cwyno amdana i wrth y Cyngor drwy'r amser.' Yna, edrychodd hi'n euog a suddodd calon Marty. Symudodd ei phwysau yn anghyfforddus o un droed i'r llall ac yna o'r diwedd fe dynnodd lythyr a boced gefn ei jîns.

'Nawr, paid mynd yn grac...' meddai. O na, doedd hyn ddim yn argoeli'n dda. 'O'n i wedi meddwl dangos hwn i ti wythnos diwetha.' Rhoddodd y llythyr, wedi ei blygu'n fach, fach, i Marty, a cheisiodd yntau ei agor yn fflat ar ei goes er mwyn ei ddarllen.

'Maen nhw'n anfon Swyddog Iechyd y Cyhoedd mas i'r tŷ.'

Syrthiodd ysgwyddau Marty. Dylai e fod wedi amau pam yr holl glirio sydyn a'r awydd i gael y tŷ mewn trefn, ond roedd wedi gobeithio mai *eisiau* gwneud hynny oedd ei fam, nid *gorfod* gwneud. Roedd pobol bwysig â chlipfyrddau wastad yn galw yn y tŷ. Yn enwedig pan oedd e'n fach. Ac i fod yn onest, roedd y lle siŵr o fod yn beryg bywyd. Byddai'n dychmygu bod yn yrrwr rali, yn ras gyflyma'r byd, yn rasio ar hyd y coridorau cul. Roedd peryg o lygod mawr a drewdod, meddai'r bobol bwysig, ond doedd Marty ddim yn poeni am lygod mawr a drewdod. Poeni fyddai Marty am y plant eraill yn taflu cerrig, a'r hen ddyn blin, bochau coch yn gweiddi 'Gwarthus!' dros y wal, a 'Mae'r tai i gyd rownd ffordd hyn yn cael enw drwg'. O leia doedd llygod mawr ddim yn gweiddi pethau cas.

Dechreuodd Marty ddarllen y llythyr, ei sganio'n frysiog. Roedden nhw'n gwybod y byddai hyn yn digwydd ryw ddiwrnod. Dros amser, roedd y rhybuddion wedi troi'n fygythiadau i fynd i gyfraith. Marty fyddai'n ateb drws y tŷ bob tro, rhag ofn, a dweud nad oedd ei fam adre, oedd yn gelwydd llwyr achos doedd ei fam byth yn gadael y tŷ, a doedd dim byd wedi dod o'r bygythiadau, tan nawr...

'O, Mam, maen nhw'n dod wythnos *nesa*...'

Cododd Mam ei hysgwyddau. 'Digon o amser,' meddai.

'Mam, dyma'r rhybudd olaf. Byddan nhw'n taflu ni mas! Be 'nawn ni wedyn?'

Trodd Mam ei phen, fel petai heb glywed. 'Ni bron yna, dim ond ambell beth bach arall…'

'Ambell beth bach arall?!'

'Paid siarad fel'na gyda fi, Marty.'

'Ond…'

Roedd wyneb Mam wedi troi'n galed eto. Ei llygaid yn oer. Edrychodd i ffwrdd.

'Mae'n bryd i ti fynd i'r ysgol.'

Roedd hi'n iawn. Roedd e'n hwyr. Cododd.

'Mam, o'n i ddim yn meddwl… ma fe jyst yn lot o waith… a dim ond wythnos sydd i fynd…'

Roedd e'n gallu gweld y niwl yn dod dros ei hwyneb.

'Dwi'n trio 'ngorau…'

Roedd stumog Marty yn glymau.

'Dwi'n gwbod… Dwi'n gwbod… ac fel ddwedest ti, ma digon o amser…'

'Hei, diolch am yr ogle pysgod.'

Cwympodd wyneb Marty.

'Be?'

Gracie, y ferch annifyr, oedd yno eto.

'Diolch i dy randir di, ma 'nillad i, a 'nghot i, popeth, yn drewi o bysgod…'

'Be? Ble?' gofynnodd wrth ei gwylio'n eistedd.

'Dwi'n byw tu ôl i'r rhandir,' meddai'n araf, fel petai ganddo ddim ond tair cell yn ei ymennydd cyfan. 'Roedd ffenest fy llofft i ar agor neithiwr drwy'r nos a nawr ma popeth yn y tŷ yn drewi o bysgod…'

Dechreuodd Marty adeiladu wal o'i gwmpas i amddiffyn ei hun.

'Paid gwadu, achos weles i ti gyda dy wncwl? Tad-cu?'

'Tad-cu,' meddai Marty, wedi ei drechu.

Roedd e eisiau i'r llawr ei lyncu. Eisiau diflannu.

'A…' meddai, gan bwyso ato ac arogli siwmper Marty, '… jyst i ti gael gwbod, ti'n drewi hefyd.'

Cododd Marty ei fraich a sniffian llawes ei siwmper. Allai'r diwrnod ddim mynd yn waeth. Roedd wedi llowcio'i ginio'n gyflym, heb flasu'r bwyd o gwbwl, er mwyn mynd allan i feddwl am gynllun i lanhau'r tŷ o'r top i'r gwaelod mewn ychydig ddiwrnodau. A nawr, ar ben popeth, roedd e'n drewi o bysgod…

'Bai Tad-cu yw e. Mae'n neud y gymysgedd afiach 'ma ac mae e wedi prynu hedyn i fi ar fy mhen-blwydd ac mae e wir eisiau i'r peth dyfu'n fawr a…' Sylwodd Marty fod y ferch yn edrych yn rhyfedd arno. 'O, sdim ots.'

Eisteddodd y ddau'n dawel, yn drewi o bysgod.

'Ti siŵr o fod yn posh 'te,' meddai Marty wedyn.

'Be?'

'Os ti'n byw yn un o'r tai 'na, ti'n posh. Maen nhw'n hiwj.'

Cododd ei hysgwyddau a dweud, 'Maen nhw'n iawn.'

Daeth y geiriau nesa o'i geg heb iddo eu prosesu gyntaf yn ei ymennydd.

'Shwt mae'r peth 'na'n gweithio 'te?' gofynnodd gan bwyntio at y teclyn yng nghlust Gracie.

Rholiodd hithau ei llygaid. 'Mae dy sgiliau cymdeithasol di'n wych…'

'Ydy e'n trwsio dy glyw di?'

'Dwi ddim angen cael fy nhrwsio, diolch yn fawr.'

'Ym, na, dwi'n gwbod, ond…' Diflannodd ei lais. Roedd ganddi'r ddawn i'w wthio i le anghyfforddus yn ei ben.

Roedd Gracie yn dawel am funud.

'Mae'r prosesydd lleferydd yn troi synau yn signalau

electronig, a hwn, fan hyn, yw'r coil trosglwyddo…'
Gwthiodd ei gwallt yn ôl. 'Mae magned arno, felly mae'n
hawdd i'w dynnu i ffwrdd os dwi eisie.'

Roedd pen Marty'n troi.

'Cŵl,' meddai.

Edrychodd Gracie arno'n syn.

'Dyw e ddim yn berffaith,' meddai hi wedyn. 'A beth
bynnag, dwi'n galler ei droi e bant os dwi eisie. Dwi'n neud
hynny weithiau, yn Maths, neu pan mae pobol rili boring o
gwmpas…'

Chwarddodd Marty. Doedd e ddim yn or-hoff o'r ysgol.
Mater o raid oedd mynd i'r ysgol iddo. Roedd e wedi trio'i
orau i wneud ffrindiau – roedd rhai o'r plant yn ocê, ond
roedd pawb fel petaen nhw'n chwarae gemau cyfrifiadur
gyda'i gilydd gyda'r nos a doedd gan Marty ddim un gêm.
Neu bydden nhw'n mynd i dai ei gilydd ar y penwythnos
ac allai Marty byth, byth wahodd neb i'w dŷ e, felly roedd
unrhyw fath o ymdrech i wneud ffrindiau wedi dod i ryw
stop naturiol.

'Mae'r gloch wedi canu…' meddai Marty.

'Dwi'n gwbod,' gwenodd.

Cododd Marty. 'Ma Dwbwl Maths gyda fi…'

'Dwi'n mynd ffor'na hefyd…'

Safodd Marty am eiliad.

'Wel, man a man i ni fynd gyda'n gilydd 'te…' awgrymodd, wrth edrych ar Gracie yn codi. 'Gan fod y ddau ohonon ni'n drewi…'

Cerddodd Gracie heibio iddo a mwmial, 'Mor *charming* gyda geiriau. Ti'n *rili* farddonol, on'd wyt ti?'

PENNOD PUMP

'Wel, be ti'n feddwl?'

Teimlodd Marty ei fol yn rhoi naid. Roedd e'n anhygoel. Lai nag wythnos ers hau'r hedyn, roedd egin wedi tyfu ohono. Roedd yr hedyn wedi hollti'n ddau ac roedd gwreiddiau sugno gwyn, hir yn gwthio i lawr i'r pridd. Uwchben y pridd roedd dwy ddeilen wedi saethu i fyny. Rhai trionglog, gwyrdd tywyll. Estynnodd Marty ei law i'w cyffwrdd a theimlodd gryndod yn ddwfn yn ei stumog.

'Y dail peilot yw'r rhain,' esboniodd Tad-cu. 'Byddan nhw'n rhoi egni i'r gwreiddiau tan i'r planhigyn dyfu'n fwy...'

'Ond mae'n tyfu mor glou!' meddai Marty.

Gwenodd Tad-cu o glust i glust. 'Ydy, mae e! Ydy, wir!'

Roedd e'n neidio o gwmpas ac yn curo'i ddwylo.

'Ond dim ond y dechrau yw hyn, 'machgen i!'

'Ond beth yn y byd yw e?' gofynnodd Marty. 'C'mon, Tad-cu, mae'n RHAID i ti ddweud nawr...'

Roedd Tad-cu'n mwynhau cadw'r gyfrinach, a thapiodd ei fys ar ei drwyn yn ddirgel.

'Gei di weld...'

'O, pliiiis?'

'Na, sori!' meddai Tad-cu. 'Cer i neud dished o de i hen ddyn.'

Trodd Marty ei gefn ar y planhigyn, yn anfodlon braidd, a cherddodd i'r sied.

Roedd Marty wedi bod yn pendroni a ddylai sôn wrth Tad-cu am ei fam. Am y llythyr oddi wrth y Cyngor. Am y clirio. Am ba mor wahanol roedd y gegin yn edrych gan fod y bagiau llawn stwff wedi mynd i'r ardd a'u cuddio dan yr hen garped roedd y ddau wedi ei dynnu o'r stafell gefn gan ei fod mor frwnt ac afiach. Roedd darn bach ohono eisiau teimlo'n falch ei bod hi'n dechrau ei brofi'n anghywir, ond doedd e ddim cweit yn barod i ddweud y cyfan chwaith. Rhag ofn.

Rhoddodd Marty'r tegell i ferwi, a nôl dau fag te. Edrychodd ar fap y byd roedd Tad-cu wedi ei hongian ar un o waliau'r sied. Roedd yr athro Daearyddiaeth wedi cael yr un syniad ac wedi hongian map y byd ar gefn drws y dosbarth. Roedd wedi gofyn i bawb roi marc ar y llefydd roedden nhw wedi bod yn y byd. Y bwriad oedd cael casgliad o lefydd roedd plant 9D wedi bod iddyn nhw a dysgu mwy amdanyn nhw. Roedd hynny'n syniad gwych ym meddwl Mr Philpott, mae'n siŵr, meddyliodd Marty. Roedd Helen wedi bod yn sgio yn yr Alpau. Roedd teulu gan Tomos yng Nghanada, felly rhoddodd e seren fan honno. Roedd Casi wedi bod dros bob man – roedd ganddyn nhw dŷ yn America ac roedden nhw wedi teithio i bedwar ban byd. Ar ôl pendroni, rhoddodd Marty seren ar Borthcawl oherwydd roedd e wedi bod yno gyda'i dad-cu unwaith. Dim ond am y dydd. Ac roedd hi'n daith mor hir i gyrraedd yno ar y bws fel nad oedd amser i weld mwy na'r Grand Pavilion a chael hufen iâ cyn dal y bws adre.

Roedd map Tad-cu yn fwy anniben, a'r ochrau wedi cyrlio oherwydd lleithder. Ond roedd wedi nodi llefydd ar y map roedd e eisiau mynd iddyn nhw. Paris. Yr Eidal. Roedd Tad-cu wedi rhoi lluniau ohono'i hun ar y waliau hefyd. Un ohono'n gwisgo hen lifrai'r rheilffordd ers pan fuodd e'n gyrru trenau. Roedd wedi bod yn teithio yn ôl ac ymlaen

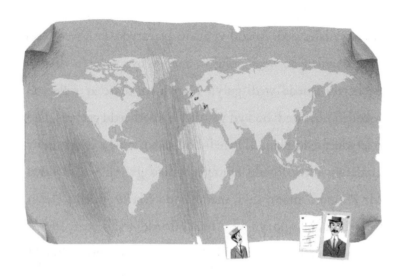

ar y trenau mewn llinellau syth rhwng yr un dinasoedd am flynyddoedd, felly roedd rhyw synnwyr yn y ffaith ei fod e nawr, wrth heneiddio, eisiau dilyn ei drywydd ei hun.

Doedd Marty erioed wedi adnabod ei fam-gu. Roedd y ddau wedi priodi ryw bum mlynedd cyn geni mam Marty ac roedd pethau wedi mynd ar chwâl wedyn. Roedd Tad-cu wastad wedi bod yn llawn cynlluniau mawr oedd byth wedi gweithio'n iawn neu oedd yn gwastraffu tipyn o arian. Felly roedd rhaid i Mam-gu weithio oriau hir i gael dau ben llinyn ynghyd ac i dalu'r rhent, a gallai Marty ddychmygu pa mor anodd oedd hynny. Ond i fod yn deg, un peth roedd Tad-cu yn dda iawn am ei wneud, oedd bod yn gefn i Marty. Yn rhyw farc sefydlog ar fyd Marty, yn llywio'r ffordd y gwelai bethau o'i gwmpas. Yn adrodd straeon, ddim o lyfr, ond o'i ben. Straeon gwych a gwirion.

'Ydy'r te'n barod?'

Roedd Tad-cu'n tynnu ei fenig garddio. Estynnodd Marty ei gwpan enamel iddo, gan fethu deall pam fyddai unrhyw un yn creu cwpan o ddefnydd oedd yn mynd mor gythreulig o boeth. Edrychodd Tad-cu dros ysgwydd Marty ar y map.

'Un diwrnod, awn ni i Baris… a gweld y tŵr 'na…'

'Ti'n meddwl fydd e mor wych â'r llunie?'

Gallai deimlo anadl gras Tad-cu y tu ôl iddo.

'Dwi'n meddwl bydd e'n wychach. Yn sblendigedigach!'

Gwenodd Marty. Ers iddo fod yn ddigon hen i wybod bod y model gafodd e gan ei dad yn lle go iawn, yn dŵr go iawn, roedd e wedi bod eisiau ei weld â'i lygaid ei hun. Doedd e ddim yn gallu cofio'i dad yn iawn. Dim ond rhyw atgofion bratiog oedd ganddo. Ei ên yn crafu ac yn cosi wrth gael cusan, yn cael ei daflu i'r awyr a'i ddal. Mam a Dad yn gweiddi ar ei gilydd. Ond roedd e'n cofio ei dad yn gwasgu model o Dŵr Eiffel yn ei law ar ei ben-blwydd yn bedair oed. A dweud ei fod yn ei garu mor uchel â'r tŵr. Dim esboniad. Dim byd. A dyna'r tro diwethaf iddo'i weld. Ac fe feddyliodd wedyn sawl gwaith sut gallai rhywun ei garu gymaint â'r tŵr ac wedyn diflannu. Dros y blynyddoedd roedd ei ysfa i weld y tŵr wedi tyfu a thyfu a thyfu. Pan fyddai'n gorwedd yn ei wely weithiau, a phwysau'r byd ar ei ysgwyddau, byddai'n meddwl am ddringo'r tŵr. Step ar ôl step ar ôl step. Mynd yn uwch ac yn uwch i fyny'r byd.

'Dere, 'machgen i,' meddai Tad-cu gan roi ei law ar ei ysgwydd.

'Ond shwt allwn ni fforddio mynd i Baris? Allwn ni ddim talu am y bws i'r dre,' meddai Marty, wrth ddilyn ei dad-cu allan i'r ardd. Tapiodd Tad-cu ochr ei drwyn gyda'i fys.

'Paid ti becso am bethau fel'na. Hen bethau bach, pitw.' Ac eisteddodd gan bwffian. 'Shwt ma'r ysgol yn mynd?'

Cododd Marty ei ysgwyddau.

'Wyt ti'n dal i regi'r bechgyn dan dy anadl?'

'Iyp!'

'Da 'machgen i…'

'Unrhyw ffrindiau?'

Oedodd Marty.

'Falle…'

Tarodd Tad-cu ei het drilbi gydag ochr ei law a chododd ei aeliau. Lledodd gwên yn araf ar draws ei wyneb.

'Wel, ma hynna'n newyddion da hefyd, da iawn… Beth yw ei enw fe?'

'Ei henw *hi* yw Gracie...' atebodd Marty, gan edrych ar ei draed.

'Gracie?' ystyriodd Tad-cu.

'O'n i'n meddwl dod â hi i weld yr hedyn, falle... wel, sdim rhaid... dwi ddim wedi gofyn iddi na dim byd...'

'Bydde hynny'n hyfryd,' meddai Tad-cu, yn fodlon braf. 'Ond mae 'na un broblem fach...'

Crychodd Marty ei dalcen yn gwestiwn.

'Be?'

'Bydd rhaid iddi ddod â'i chwpan ei hunan!'

Cyrhaeddodd Gracie adre a gweiddi, 'Dwi adre!' fel y gwnâi bob tro.

'Dwi fan hyn,' meddai llais yn ôl. Gwenodd Gracie. Taflodd ei hallweddi ar y bwrdd bach a gadael ei bag ar y llawr yn y fan a'r lle. Roedd y cyntedd yn uchel ac yn grand, gyda theils geometrig oer ar y llawr. Roedd y waliau i gyd wedi eu peintio'n lân. Roedd ei thad yn gweithio ar ei laptop ar fwrdd y gegin. Cadwodd ei lygaid ar y sgrin.

'O'n i ddim yn meddwl byddet ti gatre,' meddai Gracie, gan sefyll wrth ddrws y gegin.

Daliodd ati i deipio, a dweud, 'Dwi ddim. Ddim go iawn.

Ysbryd ydw i. Wedi picio adre i nôl ambell ffeil.'

Gwenodd Gracie, ac edrych ar ei thad yn gweithio'n ddiwyd.

'Shwt oedd ysgol?' gofynnodd.

Cododd Gracie ei hysgwyddau. 'Ocê...'

'Shwt oedd Poppy a'r merched eraill?'

Edrychodd arno eto. Roedd hi'n haws dweud celwydd pan nad oedd neb yn edrych i fyw eich llygaid.

'Iawn.'

Gorffennodd deipio'i neges a chaeodd y laptop.

'Dyna ni!' meddai. Edrychodd ar ei watsh a chwythu ei fochau allan. 'Ma bwyd yn y ffrij.'

Cwympodd calon Gracie. Roedd hi'n gwybod beth oedd yn dod nesaf. Roedd hi'n hen gyfarwydd â'r drefn.

'Ti ddim yn meindio os af i am fwyd gyda Louise heno, wyt ti?'

Roedd Gracie a'i thad yn cyd-dynnu'n dda ar y cyfan. Ond weithiau byddai'n ei thrin hi fel oedolyn. Sy'n swnio fel rhywbeth rhyfedd i gwyno amdano, pan mae'r rhan fwyaf o bobl ifanc eisiau cael eu cymryd mwy o ddifri. Ond roedd ei thad fel petai wedi rhoi'r gorau i fod yn dad.

'Na, mae'n iawn.'

'Ti'n ddigon hen i edrych ar ôl dy hunan, yn dwyt ti?'

'Wrth gwrs.'

'Bydda i ben arall y ffôn os oes problem.'

Gwenodd Gracie wrth i'w thad roi'r laptop yn ei gês, llithro oddi ar ei gadair a chwipio'i got o'r bachyn. Gwthiodd ei freichiau i'r llewys a sythu'r coler.

'I ni dwi'n neud hyn, ti'n gwbod hynny, yn dwyt ti?'

Nodiodd Gracie. 'Dwi'n gwbod,' meddai.

'Mae dechrau busnes newydd yn cymryd amser... ond

mae'n werth yr aberth yn y pen draw. Ar gyfer y dyfodol...'

Gwenodd Gracie arno eto.

'Oes gwaith cartre gyda ti?' gofynnodd. Nodiodd Gracie. 'Well i ti ddechrau arni 'te...' awgrymodd. Daeth ati a rhoi cusan ar dop ei phen.

'Wyt ti wedi tyfu? Eto?' meddai, ac i ffwrdd ag e.

Gwelodd Gracie y drws yn cau ac aeth i eistedd ar y soffa ledr wichlyd lle gallai weld y rhandiroedd y tu hwnt i'r ardd. Roedd y stafell noeth yn gyferbyniad llwyr â'r cwilt jwngwlaidd anniben o bobol a phlanhigion y tu allan. Roedd ei thad wedi codi'r hen lawnt ac wedi gosod porfa plastig yn ei lle, ac roedd y borderi'n siarp a llym ac annaturiol.

Oedd, roedd hi'n ddigon hen i ofalu amdani ei hunan, ond weithiau, doedd hi ddim eisiau gwneud hynny. I fod yn deg, roedd hi a'i thad yn mynd allan i gael pryd neis o fwyd gyda'i gilydd ar adegau, ond roedd hi eisiau, weithiau, i'r ddau allu eistedd ar y llawr yn bwyta pitsas a gwylio cartwnau ar y teledu. Roedd e fel petai'n meddwl nad oedd Gracie ei angen e rhagor. Roedd e'n ei charu, roedd Gracie'n gwybod hynny wrth gwrs, ond ers yr ysgariad roedd e wedi bod yn rhoi ei egni i gyd i'r busnes newydd gan brynu tai mwy a mwy a mwy o faint a oedd mewn gwirionedd yn llawer rhy fawr i'r ddau ohonyn nhw. Byddai ei mam hefyd yn ffonio neu'n anfon neges bob dydd ond ers iddi hi briodi Jeffrey a chael plant, roedd yn well gan Gracie dawelwch tŷ ei thad na'r llanast a'r sŵn yn nhŷ ei mam. Doedd ei mam a'i thad ddim yn siarad â'i gilydd, dim ond drwy eu cyfreithwyr, ac roedd y ddau yn annaturiol o gwrtais am ei gilydd o flaen Gracie. Weithiau byddai Gracie eisiau eu clywed yn gweiddi. Dadlau. Dweud celwydd. Taflu pethau. Crio. Gwneud *rhywbeth*, ond roedd y ddau mor uffernol o neis-neis o hyd.

Edrychodd Gracie allan ar y rhandiroedd. Roedd hi'n dechrau tywyllu, a'r cysgodion yn ymestyn. Roedd wedi treulio'r prynhawn mewn gwers Tech Gwyb, yn methu aros i lais undonog yr athro dawelu. Yna arhosodd am Marty ond ddaeth e ddim, felly cerddodd adre ar ei phen ei hun.

Roedd cefn ei gwddw yn glymau tyn wrth iddi geisio dal i fyny â'r gwaith. Er bod yr athrawon yn rhoi amser ychwanegol iddi ar ddiwedd pob gwers i brosesu'r gwaith, roedd e'n anodd. Roedd ei thad wedi bod yn benderfynol ei bod yn mynd i ysgol 'normal' – beth bynnag roedd hynny i fod i'w feddwl. Doedd hi ddim wedi cwrdd ag unrhyw un 'normal' yno. Roedd ei thad mor gefnogol. Mor benderfynol na fyddai ei byddardod yn ei 'dal yn ôl' fel ei fod e'n ei gwthio'n galed. Yn galed iawn. Roedd ei phen yn drwm gan eiriau a brawddegau a'r holl feddwl, a phenderfynodd glirio'i phen yn yr unig ffordd oedd yn naturiol iddi. Tynnodd ei sgidiau a'i siwmper. Eisteddodd ar y soffa i dynnu ei sanau. Roedd y llawr marmor yn oer dan ei thraed. Yna, gwthiodd y soffa yn ôl er mwyn cael lle i symud. Gofynnodd i Alexa chwarae cerddoriaeth. Trodd y sain i fyny i ddeg, tynnu'r cymorth clyw o'i chlust a sefyll ar ganol y llawr. A theimlo. Teimlo.

Tynnodd anadl ddofn a lledodd gwên ar draws ei hwyneb wrth i'r gerddoriaeth feddiannu ei chorff.

PENNOD CHWECH

Prynodd Marty dri phecyn o fagiau sbwriel cryf. Fyddai'r rhai rhad o'r Pound Shop yn werth dim. Penderfynodd ddechrau yn y coridor cefn, llenwi dau fag ar y tro, eu clymu wrth handlenni'r BMX, a mynd â nhw i'r dymp. Pan fyddai'n cyrraedd y dymp, ym mhen arall y dref, byddai'n taflu'r bagiau dros y wal oherwydd doedd dim hawl gan unrhyw un dan 16 oed fynd i mewn i'r safle. Roedd hynny'n hollol wirion ond dyna'r rheol, ac roedd dyn bach ag wyneb main fel gwenci mewn siaced *high-vis* yn cadw llygad arno ac yn trio'i ddal bob tro.

Llwyddodd i lenwi wyth sach i gyd, ond doedd y llanast ddim fel petai'n edrych dim llai. Roedd ei fam yn canolbwyntio ar gael trefn ar y gegin, ond er ei bod hi'n trio'i gorau roedd rhyw bethau newydd yn dal i ymddangos o hyd.

Roedd fel petai popeth wedi'u gwasgu yn ei gilydd ac wrth glirio byddai mwy o bethau'n dod i'r wyneb.

Ond y peth gwaethaf am fynd i'r dymp oedd ei fod yn gorfod pasio'r stad dai lle roedd y criw-treinyrs-newydd yn byw. Roedden nhw'n aros amdano ar gornel y stryd. Gerry, yr un tal, tenau, oedd wastad â ffôn newydd a gemau newydd, a bachgen llai â gwallt brown o'r enw Owen, oedd yn boen yn y pen-ôl. Doedd Marty ddim yn nabod y lleill. Bydden nhw wastad yn chwerthin arno, roedd Marty'n gwybod hynny, ond roedden nhw hefyd yn gweiddi pethau cas.

'Ydy dy fam dal yn byw yn y tŷ 'na?'

'Ti'n siŵr dyw hi heb gael ei chladdu dan yr holl sbwriel...'

'O, drychwch, 'co fe'n dod! Sbwriel yn cario sbwriel!'

Ond dal i bedlo wnaeth Marty, gan regi dan ei anadl yr holl ffordd. Aeth ar hyd hewl arall, ond roedd honno'n mynd yn ôl at yr hewl un ffordd i'r dymp. Roedd hi'n dasg anodd – trio cydbwyso dau fag o sbwriel a seiclo yr un pryd. Byddai'n llenwi'r ddau fag fel eu bod yn pwyso'r un faint bob ochr iddo – roedd wedi dysgu hynna yn ei wersi Ffiseg – ond doedd cael plant yn gweiddi pethau oedd yn gwneud i'w waed ferwi ddim yn helpu'r sefyllfa. Dim ond trio gwneud y tŷ'n daclus roedd e a'i fam. Dim ond dangos i'r Cyngor eu bod yn gwneud eu gorau. Yn gwneud rhywbeth. Falle bydden nhw'n cael llonydd am dipyn bach wedyn.

Welodd Marty ddim y darn o bren yn hedfan tuag ato. Roedd rhywun wedi ei anelu'n berffaith, rhaid dweud. Aeth yn sownd yn sbôcs un o'r olwynion a thasgodd Marty yn uchel i'r awyr, a hwyliodd y ddau fag sbwriel heibio'i glustiau gan lanio'n glewt fel dau fom dŵr ar yr hewl. Sgrialodd ei ên ar draws y tarmac, a theimlodd e ddim poen am eiliad oherwydd y sioc. Doedd dim syniad ganddo beth ddigwyddodd yn iawn na ble roedd e. Clywodd Marty y criw-treinyrs-newydd yn chwerthin, a'u gweld yn ei ffilmio yn gorwedd ar lawr gyda'r holl sbwriel o'i gwmpas. Snapiodd rhywbeth yn Marty. Cododd ar ei draed, a heb iddo sylweddoli'n iawn, cerddodd at Gerry a'i daro'n galed yn ei wyneb. Dyma Gerry'n dechrau crio fel babi. Neidiodd ar gefn ei feic a seiclo adre i ddweud wrth ei fam, a'r lleill i gyd yn ei ddilyn fel defaid.

Safodd Marty yn stond, ei galon yn pwmpio, a gwylltineb yn rhedeg drwy ei waed, ac yna daeth yn ymwybodol o ryw sŵn fel drôn, llais cwynfanllyd, yn gweiddi'n flin, yn dod yn agosach ac yn agosach ato. Gwelodd Marty y wenci o ddyn mewn siaced *high-vis* yn siglo'i ddwrn ac yn gweiddi arno i glirio'r llanast.

Doedd Marty erioed wedi bod yn swyddfa'r Prif o'r blaen. Roedd e'n gwybod mai dyna fyddai ei dynged cyn iddo gyrraedd yr ysgol y bore wedyn. Roedd yn anochel. Ac yna gwelodd e Gerry yn eistedd y tu allan i'r swyddfa, a chlais ar ei wyneb, ei fam warcheidiol â'i braich o gwmpas ei ysgwyddau. Doedd dim pwynt gwadu na dweud celwydd.

Edrychodd Miss James, y Prif, ar Marty o ochr arall y ddesg, â golwg ddiflas ar ei hwyneb, fel petai wedi cael llond bol ar fod yn brifathrawes. Roedd y plant i gyd yn ei hofni, oedd yn syndod a dweud y gwir, oherwydd dim ond hen ddynes fach oedd hi. Ond roedd gwenwyn yn ei llygaid a allai eich gwywo fel blodyn marw gan metr i ffwrdd. Roedd yr athrawon i gyd yn ei hofni hefyd, yn enwedig y rhai newydd. Roedd si ei bod hi'n eu cosbi os oedden nhw'n ddigon hy i fod yn anufudd, drwy roi llinellau iddyn nhw! Roedd Marty wedi pendroni sawl gwaith faint oedd ei hoed. Roedd Gracie wedi dyfalu tua 90. Ar y pryd roedd Marty'n meddwl bod hynny'n rhy hen, ond nawr, wrth sefyll yn agos ati, gallai'n hawdd ddychmygu ei bod hi'n 90 oed. Roedd hi fel rhyw hen, hen dylluan bwyllog. Edrychodd hi ar Marty, fel petai e'n llygoden fach yn ei chrafangau a'i bod ar fin ei rhwygo'n ddarnau.

'Rwyt ti wedi fy siomi, Marty,' dechreuodd.

Cafodd Marty sioc ei bod hi'n gwybod ei enw hyd yn oed. Doedd e ddim yn y tîm pêl-droed na byth yn ennill unrhyw wobr. A bod yn onest, ar wahân i Mr Garraway, roedd Marty'n amau a oedd unrhyw un yn yr ysgol yn gwybod ei fod yn bodoli. Hoeliodd ei llygaid ar y graith ar ei ên. Roedd wedi rhoi dŵr ar y clwyf ar ôl cyrraedd adre a dweud wrth ei fam ei fod wedi syrthio oddi ar y beic. Wel, roedd hynny'n hollol wir. Ond teimlai'r croen yn dynn ac roedd yn llosgi, gyda chrachen yn dechrau ffurfio.

'Dwi'n siomedig iawn.'

Sniffiodd ei thrwyn pigllyd a symud rhyw bapurach o gwmpas cyn estyn am Cream Cracker oedd ar blât bach ar ei desg. Edrychodd Marty arni'n gwthio'r cracyr i'w cheg a dechrau cnoi â cheg gam.

'Dwi wedi gweld bechgyn fel ti'n mynd ar hyd y llwybr anghywir.'

Wrth siarad, roedd briwsion cracyr yn tasgu o'i

cheg. Gwthiodd Marty ei gadair yn ôl ychydig bach ymhellach.

'Fel hyn mae'n dechrau. Trwbwl. Bob hyn a hyn. A chyn bo hir, byddi di ar y llwybr llithrig, heb allu troi'n ôl.'

Edrychodd i fyny arno gyda'i llygaid hanner cau.

'Gwed wrtha i, fachgen,' (roedd hi wedi stopio cnoi) 'Gerry wnaeth hynna i ti?' Roedd hi'n pwyntio bys hir cnotiog ag ewin coch tywyll at ei ên. Ystyriodd Marty am eiliad. Oedd Gerry wedi ei ddyrnu? Na. Gerry oedd wedi gwneud iddo gwympo? Ie, mewn ffordd. Fyddai Marty wedi cwympo petai Gerry ddim yno? Na. Gerry oedd yr un daflodd y darn o bren? Allai Marty ddim bod yn siŵr.

'Marty?' meddai.

Siglodd Marty ei ben a mwmial, 'Na.'

Pwysodd Miss James yn ôl yn ei sedd. Cliciodd ei hewinedd hir ar y ddesg. Sylwodd Marty ar dri blewyn yn tyfu ar ei gên, tri blewyn cadarn oedd yn cyrlio rhywfaint. Edrychodd arno eto gyda llygaid cul.

'Hmmm, dwi ddim yn hapus. Dwi'n siomedig. Yn flin. Dyw pethau fel hyn ddim yn adlewyrchu'n dda ar yr ysgol.'

Eisteddodd Marty'n llonydd, yn aros yn amyneddgar am ei dynged. Estynnodd hi am gracyr arall. Canodd y ffôn ar ei desg. Edrychodd hi ddim ar y ffôn wrth iddi gnoi a chnoi, a rhyw gync llysnafeddog yn crynhoi yng nghorneli ei cheg.

'Gan mai dyma'r tro cyntaf i ti fod mewn trwbwl,' meddai mewn llais araf, diflas, 'a gan fod y digwyddiad y tu allan i oriau ysgol, bydd rhaid i ti aros i mewn bob amser cinio am un wythnos yn unig. OND...' a dyma hi'n pwyso mlaen i ddweud hyn, '... os bydd unrhyw beth arall yn digwydd, unrhyw beth, cofia, bydda i'n galw dy fam i mewn am sgwrs.'

Heb drio, dyma Marty'n dechrau chwerthin. Dawnsiodd dwy ael Miss James i fyny fel dwy lindysen syn.

'Beth yw hyn?'

'Dim byd...'

'Dangos rhyw "agwedd", wyt ti?'

'Na, Miss.'

Roedd Marty'n amau na fyddai unrhyw beth ar y ddaear yn cael ei fam allan o'r tŷ ond wrth edrych ar lygaid treiddgar Miss James, credai Marty mai'r Prif fyddai fwyaf tebygol o lwyddo.

'Reit, bant â ti.'

Chwifiodd ei llaw a chododd Marty ar ei draed, yn

dal i frifo drosto. Clywodd hi'n codi'r ffôn ac yn ateb yn
ddiamynedd,

'Ieeeee?'

Gwthiodd Marty'r drws ar agor ac aeth allan i iard yr ysgol.
Roedd hi'n amser egwyl ac roedd nifer o blant yn ciwio i
brynu o'r siop. Clywodd y chwerthin wrth iddo gerdded
heibio. Roedd pawb ar eu ffonau ac roedd Marty'n gwybod
yn iawn beth roedden nhw'n ei wylio. Roedd Gerry, oedd

fel cath fach dan freichiau ei fam funudau'n ôl, nawr wedi ei drawsffurfio'n ôl yn orangwtang mawr hyll. Roedd fel petai wedi tyfu tua throedfedd mewn taldra ac roedd yn pwyntio at Marty ac yn chwerthin.

'Gest ti *drip* da?'

'Ti'n edrych yn well nawr â dy wyneb wedi smasho!' chwarddodd un o'r lleill yn gas.

Ceisiodd Marty ei anwybyddu. Cerddodd yn ei flaen.

Roedd e wedi blino. Wedi blino'n lân. Roedd wedi bod yn clirio'r tŷ drwy'r nos i geisio gwneud ychydig bach o wahaniaeth. Brwsio. Sgrwbio. Gwagio'r bath. Roedd ei fam wedi dechrau gwasgu ei dwylo'n nerfus eto, ond roedd Marty'n sylwi ei bod hi'n cnoi ei thafod wrth weld stwff yn cael ei roi allan yn yr ardd.

Byddai dyn y Cyngor yno y funud hon. Dyna i gyd oedd wedi bod ar ei feddwl bob eiliad. Roedd Marty wedi ystyried mynd adre o'r ysgol er mwyn bod yno, yn gefn i'w fam, ond byddai'r ffaith nad oedd e yn yr ysgol yn gwneud y sefyllfa'n waeth. Y peth callaf fyddai cadw draw a gobeithio'r gorau. Gobeithio y byddai ei fam yn gallu ymdopi'n iawn a pherswadio'r Cyngor ei bod hi'n bwriadu gwneud rhywbeth am y llanast unwaith ac am byth y tro hwn.

Roedd Marty bron â chyrraedd y wal y tu ôl i'r Adran Ffrangeg, lle roedd yn bwriadu cuddio drwy amser egwyl, pan glywodd lais.

'Weles i'r fideo… Ma fe'n rybish.'

Gracie oedd yno. Byddai ei gwên gam fel arfer yn gwneud iddo wenu.

'Dwi ddim yn y mŵd, ocê?'

'O, c'mon, Marty, mae'n eitha doniol. Beth yn y byd o't ti'n neud?'

'O ydy, doniol iawn…' poerodd. 'Ma 'mywyd i i gyd yn un jôc fawr. Ma pawb yn gwbod nawr faint o *loser* ydw i…'

Dechreuodd gerdded am y prif adeilad.

'Marty?' Tynnodd ar ei siwmper. 'Paid.'

'Na!' gwaeddodd gan ysgwyd ei llaw i ffwrdd. 'Dim nawr, ocê, Gracie?'

Stopiodd Gracie. Roedd hi'n sylweddoli bod Marty mewn tymer boeth ac roedd ei lais yn dynn ac yn grynedig. Gwthiodd Marty y drysau ar agor ac addo iddo'i hun na fyddai'n siarad â neb tan i gloch yr ysgol ganu ar ddiwedd y dydd.

Roedd stumog Marty yn un cwlwm tyn, caled, wrth iddo agor drws cefn y tŷ. Roedd wedi bod yn chwarae gwahanol sefyllfaoedd yn ei ben yr holl ffordd adre. Un olygfa oedd y byddai'n cyrraedd adre a gweld ei fam yn crio yn ei chadair, llythyrau ar y llawr o'i chwmpas gyda geiriau fel 'BEILI' a 'DIM CYNNYDD' wedi eu stampio arnyn nhw. Mewn golygfa arall, byddai hi'n neidio lan a lawr, mor hapus â'r gog, yn dweud bod popeth yn iawn. Tynnodd anadl ddofn ac i mewn ag e.

Ond doedd e ddim wedi dychmygu'r olygfa hon. Roedd Mam yn eistedd yn ei chadair fel arfer, oedd, ond doedd hi ddim yn chwerthin nac yn crio. Roedd golwg ddifrifol iawn arni. Gadawodd Marty ei fag ar y llawr a cherdded ati. Cododd ei phen i edrych arno.

'Wel?' gofynnodd. Roedd hi wedi gwneud ymdrech gyda'i dillad, ac wedi clymu ei gwallt yn ôl.

'Mae'n iawn i ni aros yma.'

Ochneidiodd Marty mewn rhyddhad. Dechreuodd chwerthin, cyn syllu ar ei fam eto. Roedd ei llonyddwch yn ei wneud yn anniddig.

'Ond ma hynna'n grêt… ydy e?'

'Ydy…' Roedd ei llygaid yn crwydro i bob man. 'Eistedda, Marty…'

O, na, doedd hynny byth yn arwydd da. Pan fyddai ffrind neu riant neu athro yn dweud y geiriau hynny. Roedd rhywbeth arall, difrifol, ar fin dod. Eisteddodd Marty ar y llawr wrth ymyl ei chadair.

'Dwi wedi bod yn meddwl, amdanat ti...' – syllodd Marty ar y llawr – '... yn gorfod byw fel hyn, fan hyn, gyda fi...'

Roedd Marty'n casáu rhyw hen siarad fel hyn. Llyncodd yn galed, yn teimlo'n benysgafn, a'i feddyliau'n gymysg i gyd.

'Mae'n iawn, Mam...'

'Na, dyw e ddim yn iawn, Marty...' Edrychodd arno, a'i llygaid yn llenwi â dagrau. 'Dwi wedi bod yn eistedd fan hyn, yn teimlo cywilydd...'

'Plis, paid...'

'A dwi'n addo un peth i ti...'

Roedd Marty'n casáu geiriau fel hyn hefyd.

'Unwaith ac am byth, dyma beth oedd angen arna i...'

'Paid, Mam...'

'Dwi'n addo... Marty, edrycha arna i... Dwi'n addo i ti bydda i'n sortio hyn yn y diwedd... gawn ni dŷ neis... normal. A gei di fam neis, normal...'

Roedd pob gair roedd Marty eisiau eu dweud fel petaen nhw'n sownd yn ei wddw. Roedd cymaint o eiriau, ond doedd e ddim yn gallu dweud dim un gair. Nodiodd, a dagrau'n pigo ei lygaid yntau hefyd.

'Nawr 'te,' meddai ei fam wrth godi o'i chadair, 'beth am i *fi* neud swper i ni'n dau?'

PENNOD SAITH

'Dwi'n sori, ocê?'

Eisteddodd Gracie ar y wal wrth ei ymyl. Roedd Marty'n gallu gweld ei bod hi'n dweud y gwir. Roedd e wedi cael ei ryddhau cyn diwedd amser cinio ac wedi mynd i guddio y tu ôl i'r Bloc Ieithoedd. Anwybyddodd Marty hi wrth iddi eistedd, gan fagu ei bag ysgol yn ei chôl. Eisteddodd y ddau mewn tawelwch am funud. Roedd hi'n edrych yn syth yn ei blaen.

'Dwi'n gwbod 'mod i'n gallu bod bach yn...' oedodd, '... ti'n gwbod, yn siarp weithiau.'

Gwenodd Marty yn wan.

'Naaa, wyt ti???' holodd Marty gan godi un o'i aeliau.

'Jyst, wel, ma plant wedi bod yn dweud pethau cas amdana

i erioed. Tu ôl i 'nghefn i,' a gwnaeth hi ryw sŵn chwerthin trist, 'ac i 'ngwyneb i hefyd. Dwi wedi gorfod dysgu dweud rhywbeth *cyn* i rywun arall ddweud rhywbeth.'

Edrychodd Marty ar ei hwyneb digalon.

'Anwybydda nhw,' meddai Gracie, gan astudio'i dwylo. 'Dy'n nhw ddim werth e. Dyna be dwi wedi'i ddysgu dros y blynyddoedd.'

Eisteddodd Marty yn dawel, gan wrando ar sgidiau Gracie yn taro'n erbyn y wal.

'Dwi'n sori hefyd. Ma lot o bethau ar fy meddwl i, 'na i gyd.'

Nodiodd Gracie.

'Ydyn ni'n ffrindie?' holodd, ryw funud wedyn.

Edrychodd Marty arni a dweud, 'Ydyn.'

'Da iawn...'

Teimlodd Marty ei ysgwyddau'n ysgafnhau. Cydiodd Gracie yn ei lawes.

'... Achos dwi eisie dangos rhywbeth i ti.'

Doedd Marty erioed wedi bod i ochr arall y maes parcio o'r blaen. Erioed wedi sylwi ar y wal oedd yn troi ar ffurf hanner cylch o gwmpas y coed. Roedd graffiti ar y wal, wrth gwrs, ond doedd dim byd yn anghyffredin amdani tan i Gracie ddangos rhywbeth iddo.

'Aros fan'na,' meddai, gan ei droi i sefyll wysg ei ochr wrth un pen i'r wal.

'Pam?'

Gwenodd a dweud, 'Gei di weld.'

Cerddodd ar hyd y wal hanner cylch a sefyll yn y pen pellaf. Ac yna, dyma hi'n gwneud rhywbeth rhyfeddol. Sibrwd. Gwrandawodd Marty'n syn, wrth i lais tawel Gracie fownsio oddi ar y wal a'r sŵn yn mynd yn uwch ac yn uwch ac yn uwch! WWWWSH!

'HEEEEELLLLLLOOOOOO!'

Neidiodd Marty o'i groen. Roedd hi fel petai'n gweiddi yn ei glust, ond roedd hi MOR bell i ffwrdd. Gwenodd, ei lygaid yn dawnsio a'r gwallt yn codi ar ei war.

'MAE'N WYCH! WAL SY'N SIBRWD!'

Chwarddodd Marty, a sibrwd yn ôl, 'SHWT WYT TI'N GWBOD HYN?'

'DWI'N JINIYS!'

Safodd y ddau, yn gwenu mewn tawelwch, cyn i Gracie sibrwd,

'CAEA DY LYGAID A GWRANDA!'

Gwnaeth Marty hynny.

'FEL HYN DWI'N TEIMLO SŴN,' meddai. Teimlodd Marty'r geiriau'n cosi croen ei wyneb. Yn dirgrynu yn ei ben.

'YN FY NGHORFF.'

Gwenodd Marty, ei lygaid yn dal ar gau.

'MA CERDDORIAETH… YN… CHWALU 'MHEN I!'

Ac yna meddai Gracie, yn ansicr, yn annelwig, yn betrus, 'DWI EISIE BOD YN DDAWNSWRAIG.'

Cyfaddefiad. Yna tawelwch.

'SAI WEDI DWEUD HYNNA WRTH NEB O'R BLAEN! STIWPID, DWI'N GWBOD! A FI'N FYDDAR…'

Meddyliodd Marty, am sain, am y dirgrynu yn ei gartref, pa mor llonydd oedd y tŷ a pha mor anodd oedd hi i deimlo'n rhydd. Meddyliodd wedyn am ddawnsio ac am symud, ac roedd hyn i gyd yn gwneud synnwyr.

'BYDDI DI'N DDAWNSWRAIG WYCH. Y GORE!'

PENNOD WYTH

'Cabej?' dyfalodd Gracie.

Rholiodd Marty ei lygaid.

'Be? Pryd wyt ti wedi gweld cabej mor dal â hynna?!'

'Ymmm. O, dwi'n gwbod, planhigyn sbrowts?' meddai Gracie.

Siglodd Tad-cu ei ben. Croesodd Gracie ei breichiau.

'O, sai'n gwbod!'

'Na fi,' cytunodd Marty. 'Jyst dwed, Tad-cu.'

'Amynedd!' meddai Tad-cu yn ddrygionus, gan godi ei aeliau. 'Mae'n bwysig cael amynedd. Dysgu gwers i chi, bobol bach!'

Roedd y planhigyn wedi tyfu mor uchel â chalon Tad-cu. Roedd e'n anhygoel. Roedd y ddwy ddeilen wedi lluosi dros nos, ac roedd chwech o ddail iach yn dadgyrlio am i fyny tuag at yr haul. Roedd y tywydd yn dal yn oer, ond roedd rhyw deimlad bod yr haf ar ei ffordd. Roedd hi'n dywydd-tynnu-siwmper-a'i-chlymu-rownd-eich-canol.

'Pryd gafodd e'i blannu?' gofynnodd Gracie.

'Dim ond cwpwl o wythnosau'n ôl.'

Tynnodd Gracie aer rhwng ei dannedd. 'Mae'n anghenfil!'

'Gobeithio wir!' meddai Tad-cu.

Dyma'r ddau yn helpu Tad-cu am dipyn bach. Roedd hi'n amser hau nifer o lysiau gan fod y pridd yn dechrau cynhesu. Hadau siâp cwmin y moron i'w hau mewn rhesi, a hadau cnotiog y bitrwt fel darnau bach o graig i'w rhoi yn y pridd fesul un. Pys i'w plannu oedd yn edrych fel, wel, fel pys sych. Byddai Tad-cu yn hau'r rheini ar ffurf triongl er mwyn eu clymu wrth ffyn pren wrth iddyn nhw egino. Roedd y llwyn cyrains duon wedi dechrau glasu eto, a'r llwyn gwsberis hefyd. Rhyw dair wythnos arall, a byddai'n bendant yn teimlo'n hafaidd.

Ar ôl rhyw awr neu ddwy aeth Tad-cu i lenwi'r tegell. Roedd Gracie wedi dod â'i chwpan ei hun – cwpan tsieina gwyn gyda'r gair Gracie arno mewn llythrennau aur. Anrheg gan ei thad.

'Ti fwrodd Marty?' gofynnodd Tad-cu i Gracie, gan nodio i gyfeiriad gên Marty wrth i'r tri eistedd i yfed eu te.

Deallodd Gracie'r cwestiwn yn syth. 'Na, dim fi, ond ma lot o bobol sydd ddim yn hoffi Marty, nid dim ond fi!'

Roedd Marty'n gallu gweld bod Tad-cu yn hoff o Gracie – roedd e wedi ymlacio'n llwyr ac yn gwenu lot.

'Be sy mlân gyda chi'ch dau dydd Sadwrn?'

Cododd Marty a Gracie eu hysgwyddau. Yna, tynnodd Tad-cu bapur ugain punt o boced dop ei got.

'Ma mygins fan hyn wedi ffeindio *scratch card* ar y llawr yn ganol y dre. A bing bang bosh. Ugain punt! Nawr, ma pedwar mis gyda ni i dyfu'r planhigyn 'ma mor fawr ag y gallwn ni. Ma gen i gynlluniau mawr, a dydd Sadwrn, ni'n mynd am drip. Bws o Ffordd Albany. Wyth o'r gloch. Ar y dot.'

Edrychodd Gracie ar Marty, a chodi ei hysgwyddau.

'Ocê!'

*

'Be ti'n feddwl yw e 'te?' pendronodd Gracie.

Cerddodd Marty i fyny'r llwybr at dŷ Gracie, gan geisio cuddio'i syndod wrth weld pa mor fawr oedd y lle.

'Sai'n gwbod.'

'Dwi erioed wedi gweld planhigyn yn tyfu mor glou. Ydy hynny'n fel… normal?'

Roedd Marty wedi bod yn meddwl a meddwl am yr hedyn, a bob tro byddai'n meddwl amdano, byddai blaenau ei fysedd yn tinglan.

'Dwi jyst ddim yn deall…' Edrychai Gracie'n ddifrifol iawn wrth chwilio am yr allwedd yn ei phoced. Gwyliodd Marty hi'n agor y drws, a gweld y cyntedd eang y tu ôl iddi.

Roedd hi'n iawn – doedd Marty ddim yn deall chwaith. Doedd e ddim fel petai'n teimlo'n bosib.

'Rhaid mai *hybrid* yw e. Fel dau blanhigyn sy'n tyfu'n gyflym wedi eu croesi'n un falle? Darllenes i am hynny mewn llyfr Bioleg rhywbryd. Ti'n gallu croesi dau blanhigyn a chael nodweddion o'r ddau yn yr un newydd.'

Roedd Gracie'n edrych yn ansicr iawn wrth iddi aros wrth y drws.

'Alla i ddweud rhywbeth?' Roedd hi'n swnio'n ddifrifol iawn yn sydyn.

Edrychodd Marty arni a dweud, 'Wrth gwrs…'

'Ti'n addo peidio chwerthin?'

'Addo.'

'Pan o'n i'n sefyll yn agos i'r planhigyn, ges i deimlad od. Sai'n gwbod. Teimlad fel bola'n troi.'

Aeth Marty'n groen gŵydd drosto. Roedd e wedi cael yr un teimlad yn union. Gwgodd. Doedd y peth ddim yn gwneud synnwyr.

'Deimlest ti e hefyd?' Roedd Gracie'n edrych ar Marty ond roedd e wedi troi i ffwrdd.

'Achos bod e'n ddirgelwch, siŵr o fod.' Roedd e'n trio'n galed i ffeindio rheswm am y peth.

'Weithiau, mae fel petai rhyw hud yn perthyn i rywbeth achos ei fod e'n ddirgelwch, ond mae e'n normal. Yn gwbwl gyffredin. Mae e i gyd yn y meddwl.'

Gwgodd Gracie. 'Ti wir yn meddwl hynna?'

Cododd Marty ei ysgwyddau, ac edrychodd Gracie arno.

'Ti eisie dod mewn?' cynigiodd. 'Dyw Dad ddim 'ma. Gallwn ni wylio'r teledu os ti moyn.'

Siglodd Marty ei ben, yn ôl arferiad yn fwy na dim.

'Na, mae'n iawn,' meddai, gan edrych yn ôl tuag at y rhandir. 'Well i fi fynd.'

'Ocê,' meddai Gracie.

Gwenodd Marty. 'Wela i di fory.'

'Wrth gwrs,' meddai Gracie, gan gau'r drws trwm. Trodd Marty a sefyll yn stond am eiliad. Yn y pellter, gallai weld ei dad-cu yn potsian yn yr ardd, ei het drilbi ar ei ben, a'r planhigyn enfawr yn dadgyrlio yn y gwyll.

PENNOD NAW

'Marty, Marty, Marty! Fy stafell i, plis!'

Stopiodd Marty yn stond ar ganol coridor yr ysgol, a gwadnau ei dreinyrs yn gwichian ar y llawr. Mr Garraway oedd yna, cynghorwr yr ysgol. Dyn mawr, fel arth, o'r Alban, gyda gwallt coch, oedd yn hoff o dracwisgoedd tyn, sgleiniog. Athro Ymarfer Corff a Iechyd a Lles oedd e, a fyddai'n siarad yn gyflym iawn, iawn am bethau chwithig iawn, iawn. Roedd yn hongian ag un fraich o ffrâm drws ei stafell ddosbarth. Edrychodd Marty yn ôl ar hyd y coridor lle roedd Gracie yn aros amdano. Darllenodd Mr Garraway ei feddwl. Dyna pam roedd e'n ddyn mor beryglus. Roedd ganddo'r ddawn ryfedd o wybod beth oedd yn mynd trwy feddwl pobol.

'Dere, dere, dere, fyddwn ni ddim yn hir, boi.'

Cododd Marty ei ysgwyddau ar Gracie, a chwifiodd hi ei llaw gan arwyddo y gwelai hi e wedyn. Aeth i mewn i'r stafell ddosbarth oedd wedi cael ei haddurno'n helaeth â lluniau o'r Alban a gwahanol batrymau tartan. Pwysodd Marty ar ymyl un o'r desgiau wrth aros i Mr Garraway gau'r drws a dod ato.

Edrychodd ar Mr Garraway yn crafu ei farf bigog.

'Glywes i am dy "ddamwain" fach di,' meddai gan edrych ar ên Marty. 'Ti'n iawn?'

Nodiodd Marty.

'Dim o 'musnes i, wrth gwrs, ond rho showt os wyt ti eisie siarad...'

'Ocê,' meddai Marty, gan chwarae â strap ei fag.

'Dwi'n gwbod 'mod i ddim fod i gymryd ochr, ond rhyngot ti a fi, mae'r Gerry 'na'n boen yn y ti'n-gwbod-beth.'

Gwenodd Marty, a meddwl ai dyna'r cyfan, tan i Mr Garraway siarad eto.

'Dwi wedi clywed rhyw si hefyd, aderyn bach wedi sôn, wedwn ni, nad wyt ti'n gwneud dy waith cartref a...'

Doedd Marty byth yn gwybod a oedd Mr Garraway wedi gorffen dweud ei bwt – roedd e'n dueddol o orffen brawddegau ar eu hanner.

'Dwi ddim yn poeni gormod am y peth ar hyn o bryd, ond bydda i'n gofalu...'

Arhosodd Marty.

'... hynny yw, dwi'n mynd i gadw llygad...'

Oedd e wedi gorffen nawr? Petai'n onest, roedd ei waith cartref a'i brosiectau wedi cael eu gwthio i gefn pellaf ei feddwl. Doedd e ddim wedi meddwl amdanyn nhw am un eiliad. Ers iddo fod yn clirio'r tŷ roedd gwaith cartref mor bell i lawr ei 'restr o bethau i'w gwneud' fel ei fod wedi mynd i dudalen arall. Pendronodd a ddylai ddewis bod yn onest, neu ddweud rhyw gelwydd golau. Roedd Mr Garraway yn dal i edrych arno.

'Rho wybod os galla i helpu mewn unrhyw ffordd. Rhoi help llaw. Datrys y broblem. Falle rhoi chydig bach o gyngor...'

Cododd Marty ei ysgwyddau. 'Sori. Dwi wedi bod yn brysur, syr.'

Ceisiodd guddio'r gwir reswm dan flanced o niwl, ond rhythodd Mr Garraway arno am eiliad.

'Shwt ma dy fam dyddiau 'ma?'

Teimlodd Marty ei gorff yn tynhau. Roedd yr athro'n dda. Yn dda iawn hefyd.

'Mae'n iawn,' meddai wedyn. 'Ydy, yn dda iawn, diolch.'

Roedd Mr Garraway'n dal i edrych arno, fel petai'n credu ei eiriau, wedi ei gysuro gan yr ateb.

'O, da iawn,' meddai. 'Gwych. Ie, ardderchog wir.'

Roedd Marty'n teimlo'n euog bob tro roedd Mr Garraway o gwmpas. Roedd e'n gwybod bod yr athro'n gwybod am y sefyllfa gartref. Doedden nhw ddim wedi siarad am hynny'n uniongyrchol, ond roedd pawb fel petaen nhw'n dod i wybod am sefyllfa plant fel Marty rywffordd. Roedd Marty'n deall hynny. Roedd e hefyd yn gwybod bod Mr Garraway yn ddyn caredig – dyna oedd argraff Marty ohono beth bynnag. Ond roedd Marty wastad yn wyliadwrus. Yn ei brofiad e doedd gadael i bobol ddod yn rhy agos byth yn beth da. Byddai pobol eisiau ymyrryd. Doedd ei ffordd o fyw ddim yn ddelfrydol, nag oedd, ond dyna'r unig ffordd o fyw roedd e'n gwybod amdani, ac roedd ei fam wir, wir, wir yn trio'i gorau. Doedd e ddim eisiau i neb na dim newid hynny ar hyn o bryd.

'Gwranda, Marty. Fi yw'r *middle man*, ti'n gwbod hynny, y negesydd yn y canol? Y wal rhyngddot ti a'r bobol ar y top, os ti'n deall be sy gyda fi…'

Roedd hyn braidd yn ddryslyd a daeth llun ohono fel *secret agent* i'w ben. Fel rhyw James Bond gwallt coch.

'Tria roi dy waith cartre mewn, ocê? I gau eu cegau nhw…'

Nodiodd Marty. 'Diolch, syr.'

Trodd Marty i adael, ond doedd Mr Garraway ddim wedi gorffen eto.

'Wyt ti wedi meddwl rhywfaint am dy ddewisiadau blwyddyn nesa? Be ti eisie neud?'

Edrychodd Marty arno, yn ddiddeall am funud.

'Bydd rhaid i ti ddewis dy bynciau cyn bo hir…'

Doedd Marty wir ddim wedi meddwl am hynny.

'Doctor? Gwyddonydd? Beth amdani, boi?'

'Sori?' Oedd e wedi clywed yn iawn? 'Chi'n credu alla i neud hynny?'

Gwgodd Mr Garraway.

'Marty, ma tipyn o ben arnot ti. A gall pen fel'na fynd â ti'n bell. I unrhyw le yn y byd. Dy gyfrifoldeb di yw mynd â'r meddwl 'na sy gyda ti i ble bynnag ti moyn. Falle nad wyt ti'n dod o ryw gartre posh, ond dyw hynny ddim yn rhwystr, cofia. Mae gen ti'r un cyfle ag unrhyw un arall yn y byd 'ma.'

Doedd Marty ddim yn siŵr pam, ond roedd ei galon yn curo fel drwm. Roedd Tad-cu wedi dweud wrtho sawl gwaith, wrth gwrs, y gallai wneud unrhyw beth a fynnai, ond dim ond Tad-cu'n bod yn glên oedd hynny.

'Meddwl tu fas i'r bocs, boi. Be sy'n mynd â dy fryd di? Beth wyt ti'n teimlo'n angerddol amdano?'

Meddyliodd Marty. 'Dwi ddim yn gwbod.'

Chwarddodd Mr Garraway.

'Ti ddim yn gwbod?' Trodd ei ben i un ochr i edrych arno. 'Beth yw dy uchelgais di mewn bywyd?'

Mwmiodd Marty, 'Dwi ddim yn gwbod.'

Roedd ganddo freuddwydion, oedd. Rhai real. Am deithio'r byd. Gweld sut oedd pobol yn byw. Y llefydd roedden nhw'n byw. Y pethau roedden nhw'n eu hadeiladu. Ac roedd e eisiau dechrau gyda Thŵr Eiffel, ond sut gallai esbonio hynny? Roedd gormod o bethau yn ei fywyd yn barod. Gormod o bethau yn ei dŷ ac yn ei ben fel nad oedd wedi gallu meddwl yn iawn am beth roedd *e* eisiau mewn bywyd. Roedd Mr Garraway'n dal i edrych arno, fel petai'n disgwyl iddo ddweud rhywbeth.

'Mae'n iawn. Paid poeni, jyst meddylia am y peth. Ystyried yr opsiynau. Cysga arno.'

Nodiodd Marty.

'Reit,' meddai, gan gerdded heibio Marty. 'Dwi angen coffi.'

Ac yn sydyn, roedd y sgwrs ar ben. Tarodd Mr Garraway Marty yn galed ar ei gefn gyda'i law anferth a bu bron â cholli ei anadl.

'Diolch, syr.'

'Dim problem o gwbwl, boi.'

Brasgamodd Mr Garraway i lawr y coridor, gan adael Marty'n syn wrth y drws, a'i ben yn troi.

Gorweddodd Gracie yn ei gwely y noson honno, yn meddwl sut gallai ddweud wrth ei thad ei bod hi a Marty a'i dad-cu yn mynd ar antur fawr dydd Sadwrn nesa. Yr unig broblem oedd fod ei thad yn casáu'r dyn â chas perffaith. Ond doedd e ddim yn ei adnabod yn iawn. Doedden nhw heb siarad yn gall â'i gilydd erioed, dim ond dadlau. Gwallgofddyn y Rhandir fyddai ei thad yn ei alw. Roedd Gracie'n deall hynny i ryw raddau, gan fod Tad-cu wastad yn cynnau tân i losgi pethau, a byddai colofnau o fwg yn sleifio i mewn i'w cegin berffaith lân, neu byddai Tad-cu yn ei randir cyn codi cŵn Caer ambell ddydd Sul yn torri coed yn swnllyd gyda'i fwyell, heb sôn am y drewdod pysgod ofnadwy. Roedd y siawns y byddai ei thad yn gadael iddi fynd gyda nhw yn llai na sero mawr tew. Y dewis oedd naill ai dweud celwydd, neu beidio dweud y stori'n llawn.

Pan ddechreuodd hi yn yr ysgol newydd, rai misoedd yn ôl, roedd ei thad yn ôl ei arfer wedi cysylltu â'i rwydwaith eang o gysylltiadau busnes er mwyn dewis ffrindiau iddi.

Roedd wedi eu gwahodd draw i'r tŷ ac wedi archebu pentwr anferth o bitsas i bawb. Esther a Dahlia a Poppy. Roedden nhw'n ferched digon neis, yn siarad yn ddiddiwedd am eu cŵn a'u ceffylau, ond roedd un broblem fach. Roedden nhw mor, mor *ddiflas*. Mor ddiflas fel bod Gracie yn dylyfu gên ac yn meddwl am fynd i gymryd nap sydyn. Mor ddiflas fel y byddai'n well ganddi dreulio diwrnod cyfan yn yr ysgol heb gwmni o gwbwl na gorfod gwrando ar ryw stori am sut oedd un ohonyn nhw wedi hyfforddi Twinkles i siglo-llaw-pawennau. Byddai Gracie yn taflu enwau rhai o'r merched i mewn i ambell sgwrs gyda'i thad weithiau, er mwyn taflu llwch i'w lygaid, a gan fod bywydau pawb mor brysur fyddai'r rhieni byth yn cael amser i drefnu iddyn nhw gyfarfod. Ac roedd hynny'n siwtio Gracie i'r dim.

Roedd hi wedi ymarfer yn ei phen drosodd a throsodd beth roedd hi'n mynd i'w ddweud wrth ei thad ynglŷn â dydd Sadwrn, a phenderfynodd fynd at ddrws y swyddfa ac aros am fwlch o dawelwch rhwng ei alwadau ffôn.

Rhoddodd ei phen i mewn drwy'r drws a chododd ei thad law arni. Roedd e'n edrych dan straen. Safai wrth y ffenest, a gwg ar ei wyneb. Roedd Gracie'n siŵr bod ei thad wedi mynd yn fyrrach. Roedd hi wedi tyfu wrth gwrs, ond roedd rhywbeth arall, fel petai'r holl oriau roedd e wedi bod yn pwyso dros ei laptop wedi plygu ei gefn, a gwneud iddo edrych ryw droedfedd yn fyrrach. Arhosodd Gracie, gan gydio'n dynn ym mwlyn y drws, a gwrando ar lanw a thrai'r sgwrs ffôn. O'r diwedd dyma'i thad yn pwyntio at y ddesg. Rhoddodd feiro iddi. Roedd Gracie'n methu credu ei lwc! Estynnodd am ddarn o bapur a sgwennu ei neges.

'Alla i fynd mas gyda ffrindiau fory? Bydd y ffôn gyda fi.'

Darllenodd ei thad y neges dros ei hysgwydd. Gwenodd a rhoi nòd. Gwenodd Gracie yn ôl a sleifio o'r stafell. Pan oedd hi ar fin cau'r drws rhoddodd ei thad ei law dros y ffôn.

'Ti eisie arian?' meddai gyda'i wefusau, heb lais. Cododd Gracie ei hysgwyddau. 'Cer â peth o'n waled i lawr llawr.'

Caeodd y drws ar ei hôl a gadael i'w chorff ymlacio. Doedd hi ddim wedi gorfod dweud celwydd! Roedd hi'n mynd gyda'i ffrindiau fory ac roedd hi'n methu aros.

PENNOD DEG

Roedd hi'n fore Sadwrn braf a heulog. Roedd Marty wedi codi'n gynnar ac wedi seiclo draw i'r arhosfan fysiau. Clymodd ei feic wrth y reilings. Roedd Tad-cu yno'n barod, yn gwisgo'i siaced orau, gyda phatshys o ddefnydd cordyrói ar y penelinoedd. Roedd wedi brwsio'i het drilbi ac roedd e'n edrych yn reit *dapper* yn ei ffordd unigryw ei hun. Roedd Gracie'n cerdded ar hyd y ffordd tuag atyn nhw. Wel, nid cerdded yn hollol, ond rhyw fath o sgip-ddawnsio. Ddim yn gwneud y peth arferol o beidio-sefyll-ar-graciau'r-pafin ond, wel, yn dawns-gerdded…

A dyma Tad-cu yn dechrau dawnsio wedyn, ac wrth iddi agosáu cydiodd yn ei llaw a phlygu ei chefn yn ôl fel diweddglo dramatig dawns ar *Strictly*! Chwarddodd pawb. Wrth draed

Tad-cu roedd chwech hen fwced a phan gyrhaeddodd y bws cydiodd yn y bwcedi.

'Pawb i mewn!' gwaeddodd Tad-cu gan wenu. 'Dau blentyn dan chwech ac un pensiynwr plis, dreifar!'

'Dan chwech?' gofynnodd y gyrrwr gan godi un o'i aeliau.

'Sh, ie, paid edrych arnyn nhw fel'na. Mae eu mam yn fodel chwe throedfedd wyth modfedd, a'u tad yn chwaraewr pêl-fasged, ac maen nhw'n ymwybodol iawn o'u taldra.'

Chwarddodd y gyrrwr gymaint nes iddo roi'r tocynnau am bris rhatach a diolchodd Tad-cu yn hael iawn iddo, ei alw'n ŵr bonheddig a chododd ei het drilbi.

Roedd Marty wrth ei fodd yn cael diwrnod i ymlacio ac roedd ei fam hyd yn oed wedi rhoi arian iddo i'w wario. Doedd e ddim eisiau dweud wrth Tad-cu am addewid Mam. Ddim eto. Roedd eisiau cadw'r gyfrinach yn dynn yn ei galon am y tro, a dod yn gyfarwydd â'r syniad yn ei ben yn gyntaf, cyn dweud unrhyw beth. Roedd y sefyllfa mor fregus a newydd a doedd Marty ddim eisiau codi gobeithion Tad-cu yn rhy sydyn, rhag ofn. Aeth i eistedd y tu ôl i Tad-cu a Gracie, gan wrando ar y ddau'n sgwrsio, a'r haul yn tywynnu ar ei wyneb drwy'r ffenest.

Roedd hi'n siarad am ei byddardod, sut y cafodd
ddiagnosis fod nam ar ei chlyw pan oedd hi tua thair oed
a sut roedd ei chlyw wedi gwaethygu dros y blynyddoedd.
Roedd ei rhieni wedi dechrau sylwi nad oedd hi'n edrych
arnyn nhw pan oedden nhw'n siarad â hi. Ddim yn neidio
pan oedd sŵn mawr y tu ôl iddi, ac esboniodd sut cafodd
hi'r mewnblaniad cochlear i'w helpu yn y pen draw. Ar
ôl hynny, roedd rhaid iddi ailddysgu adnabod gwahanol
synau o'r dechrau, oherwydd roedd hi'n clywed pethau'n
wahanol gyda'r teclyn newydd. Clywodd Marty hi'n
dweud ei bod hi'n anodd byw mewn dau fyd gwahanol
o glywed a byddardod. Y pethau bach, meddai. Ei bod
hi'n haws siarad wyneb yn wyneb ag un person, oherwydd
mewn grwpiau roedd pawb yn dueddol o siarad dros ei
gilydd. Neu byddai'n colli diwedd jôc a gorfod gofyn i
rywun ei ailadrodd – ac roedd hynny'n colli ergyd y jôc,
braidd.

Erbyn iddyn nhw gyrraedd glan y môr roedd Marty yn
ysu am awyr iach. Ar ôl dod oddi ar y bws wrth y prom
edrychodd Gracie a Marty ar Tad-cu.

'Be nesa?' gofynnodd Marty.

'Dewch ffordd hyn…' atebodd Tad-cu.

I ffwrdd â nhw i'r traeth, gan ddilyn Tad-cu at y tywod. Safodd Tad-cu yn stond, ac edrych ar linell llanw'r môr.

'O na...' meddai Tad-cu.

Rhowliodd Marty ei lygaid ar Gracie. 'O, dyma ni...' meddyliodd.

'Anghofies i tsiecio amseroedd y llanw,' meddai Tad-cu gan edrych ar y tonnau. 'Ond mae'n iawn, mae'r llanw ar drai... Ma rhyw ddwy awr gyda ni i ladd.'

'*Dwy awr i ladd?*' gofynnodd Gracie. Credai Marty y byddai hi'n flin ond goleuodd ei hwyneb. 'Ooo, ma arian gyda fi i gael hufen iâ! Allwn ni fynd ar gefn asyn hefyd?'

Felly dyma nhw'n treulio'r ddwy awr heulog nesaf yn gwneud pethau nad oedd Marty wedi eu gwneud ers, wel... erioed. Chwarddodd Gracie nes ei bod hi'n sâl wrth wylio Marty ar gefn asyn. Fe fwyton nhw sglodion mewn conau papur, â'u coesau yn hongian oddi ar wal y prom, a thaflu'r rhai oedd dros ben at y gwylanod barus, a chael ofn wrth iddyn nhw hedfan yn rhy agos. Fe wnaeth Tad-cu hyd yn oed dynnu ei siaced ac agor botymau top ei grys fel bod ei frest flewog yn dangos.

'Peidiwch cyffroi gormod, lêdis!' gwaeddodd ar dop ei lais. 'Un ar y tro nawr!'

Cochodd Marty a chwarddodd Gracie, ac yna aeth hi i ddawnsio ar y traeth, ei thraed yn cicio'r tywod o'i chwmpas, a'i chorff fel petai'n ddŵr y môr, yn troi ac yn troelli i rythm y tonnau. Doedd Marty erioed wedi gweld dawnsiwr yn y cnawd o'r blaen. Roedd wedi gweld pobol yn dawnsio wrth gwrs, fel ei dad-cu yn siglo'i gorff rywsut rywsut, ond nid dawnsiwr go iawn, a'r dawnsio yn treiddio trwyddi, yn rhan ohoni. Dawnsiwr oedd yn gallu clywed rhywbeth nad oedd neb arall yn gallu ei glywed yn y byd.

Gwyliodd Marty, wrth i'r traeth a'r amser a'r byd ddiflannu'n raddol bach. Doedd dim i'w weld ond ystum ei breichiau'n peintio lliwiau yn yr aer o'i chwmpas a'r rhythm yn ei thraed. Roedd Marty a Tad-cu wedi eu cyfareddu gan siapiau a llinellau'r ddawns ac yna stopiodd, a'i dwylo fry uwch ei phen. Cododd ei phen a gallen nhw ei gweld yn dod yn ôl i'r byd yn araf bach. Edrychodd arnyn nhw fel petai'n eu gweld am y tro cyntaf.

'Wel, wel,' rhyfeddodd Tad-cu.

'Fflipin ec,' dywedodd Marty gan rythu arni.

Yna, daeth hi'n ymwybodol o bethau o'i chwmpas eto, a thrawsnewid yn ôl i'r Gracie gyfarwydd, ei chorff wedi ymlacio. Trodd ei chymorth clyw ymlaen a cherdded atyn

nhw cyn syrthio ar y tywod, ei hanadl yn fân ac yn fuan.
Edrychodd Tad-cu arni wedi ei syfrdanu.

'Gracie fach, ma beth 'nest ti nawr,' meddai, 'yn hudol.'

Trodd Gracie ei phen i ffwrdd yn swil.

'Na, edrycha arna i,' meddai Tad-cu.

Ac wrth iddi edrych arno, meddai, 'Roedd e'n… hudol.'

Gwenodd y ddau'n gynnes arni ac roedd Marty'n siŵr bod
Gracie wedi tyfu ychydig bach yn dalach.

'Nawr 'te, os wnewch chi'ch dau fy esgusodi i,' a chododd

Tad-cu yn sigledig ar ei draed, 'dwi'n mynd i chwilio am baned o de.'

Gwyliodd Marty a Gracie wrth i Tad-cu sefyll yn syth a moesymgrymu o'u blaenau cyn cerdded i ffwrdd.

Eisteddodd y ddau mewn tawelwch am funud.

'Mmm, mae'n braf fan hyn,' meddai Gracie'n freuddwydiol.

Gallai Marty deimlo'r tywod cynnes ar ei goesau.

'Mmm, ti'n iawn,' atebodd, gan wrando ar sŵn y môr.

Yna, tynnodd Gracie ddarn o bapur wedi ei blygu'n fach o'i phoced. Agorodd e a'i roi i Marty. Roedd ei wyneb dryslyd yn gwenu yn gwestiwn i gyd.

'Cystadleuaeth ddawnsio. I ennill lle yn yr Ysgol Ddawns ym Mryste,' meddai wrth i Marty ddarllen y daflen. 'Galwad agored i bobol ymgeisio.'

'Waw, anhygoel!' meddai Marty. 'Rhaid i ti drio.'

Roedd anadl Gracie wedi arafu erbyn hyn, a'i bochau'n lliw rhosyn pinc. Roedd hi'n crafu'r tywod rhwng ei choesau â'i bysedd.

'Be?' holodd Marty. 'Ti ddim yn mynd i drio? Ti o ddifri?'

Arhosodd Gracie yn annisgwyl o dawel.

'Y peth yw… Y plant eraill. Byddan nhw wedi cael hyfforddiant. Gwersi go iawn.'

Doedd Marty erioed wedi ei gweld yn edrych mor ddihyder.

'Holes i Mam a Dad… allen i gael gwersi. Ond roedden nhw'n poeni… Yn meddwl bydden i'n neud ffŵl o fy hunan. Byddai'r lleill yn pigo arna i.' Cododd ei hysgwyddau. 'Sai'n gwbod. Dwi ddim wedi cael unrhyw wersi. Jyst dysgu fy hunan.'

'Ond ti'n wych!'

'Dyw hynny ddim yn cyfri.'

'O, dere! Ydy dy dad wedi gweld ti'n dawnsio?'

Trodd Gracie ei phen i ffwrdd eto.

Roedd Marty'n fud. Rhoddodd ei law yn ysgafn ar ei braich. Roedd rhywbeth wedi newid ers iddo siarad â Mr Garraway. Dim byd mawr. Dim byd ysgytwol, ond roedd wedi deffro rhywbeth yn Marty na wyddai e ddim ei fod yn cysgu ynddo.

'Gwranda, Gracie. Ti yw'r ddawnswraig orau dwi wedi'i gweld erioed. Gwersi neu beidio.' Sugnodd aer rhwng ei ddannedd. 'Dwi ddim yn meddwl galle unrhyw un ddysgu hynna i ti. *Rhaid* i ti drio…' Edrychodd ar y daflen eto. 'Pryd ma fe?'

'Diwedd yr haf.'

'Wel, ma digonedd o amser!'

'Beth fydd Dad yn dweud?'

Gwenodd Marty'n ddireidus a chodi ei ysgwyddau.

'Sai'n gwbod,' atebodd. 'Oes rhaid iddo fe gael gwbod?'

Gwenodd Gracie hefyd a dweud, 'Falle ddim!'

Yn sydyn dyma nhw'n clywed gwaedd, ac edrychon nhw i fyny. Roedd y llanw wedi mynd allan a gallai Tad-cu ddechrau rhoi ei gynllun ar waith. Roedd e'n sefyll wrth linell y llanw yn chwifio'i freichiau'n wyllt arnyn nhw.

'Dewch, bois bach!' gwaeddodd ar draws y traeth.

'Oes rhaid iddo fod mor *embarrassing*?' meddai Marty, a'i lais yn fflat.

'Nag oes,' meddai Gracie gan godi ar ei thraed, 'ond ma fe'n ffab!' A rhoddodd ei braich iddo i'w helpu i godi. 'Dere i weld be ma fe'n neud.'

Erbyn i'r ddau gyrraedd y pyllau dŵr roedd Tad-cu wedi gosod ei siaced ar un o'r creigiau, wedi torchi ei lewys ac wrthi'n llenwi'r bwcedi â gwymon llysnafeddog gwyrdd a brown. Edrychodd Marty arno'n gegrwth.

'Dewch!' ceisiodd Tad-cu eu hannog. 'Helpwch fi!'

Rholiodd Marty lewys ei siwmper wlân a dechreuodd y tri gasglu gwymon.

'Dewch â gymaint gallwch chi! O bob lliw a llun,' gwaeddodd Tad-cu.

Doedd Marty ddim wedi sylwi o'r blaen – wel, doedd e erioed wedi bod â'i ben mewn gwymon am oriau o'r blaen chwaith! – ond roedd pob math o wymon gwahanol. Roedd un fel gwregys hir rwber ac un arall yn denau fel gwallt ac un arall oedd yn tyfu mewn siâp coeden a swigod ynddo – oedd yn ei helpu i arnofio, mae'n debyg, meddyliodd Marty. Edrychodd ar Gracie yn tynnu'n galed ar ryw wymon stwbwrn o graig gerllaw.

Yna, pan oedd y bwcedi bron yn llawn, cydiodd Tad-cu yn Gracie droednoeth a'i rhoi i sefyll mewn un bwced ar ôl y llall, er mwyn gwasgu'r gwymon i'r gwaelod. Chwarddodd Marty wrth ei gweld yn stompio'r llysnafedd ac yn creu sŵn rhechu gwlyb dan ei thraed.

Aeth hanner awr arall heibio cyn iddyn nhw allu llenwi'r bwcedi i'r top. Yna, dyma nhw'n sefyll, yn edmygu eu gwaith ac allan o wynt yn lân, a'r haul yn suddo'n araf yn yr awyr. Sychodd Gracie ei thalcen ac edrych ar Tad-cu.

'Iawn? Be nesa?'

'Gwisgo sgidiau ac yn ôl ar y bws!' meddai Tad-cu gan wenu o glust i glust. 'Dau fwced yr un... Gobeithio fydd dim rhaid i ni dalu am sêt i bob bwced!'

Ddaeth neb i eistedd yn agos atyn nhw ar y ffordd adre. A doedd Marty ddim yn synnu. Nid bod y gwymon yn drewi llawer, ond pwy fyddai eisiau eistedd wrth ymyl tri o bobol oedd yn mynd â chwe bwced o wymon ar daith fws!

'Ry'n ni'n mynd i neud te o'r gwymon yma,' meddai Tad-cu.

'Te?' gofynnodd Gracie gan godi un o'i haeliau.

'Eu trwytho nhw mewn dŵr, eu rhoi i sychu yn yr haul a'u defnyddio wedyn i neud paned fendigedig o de gwymon i blanhigyn Marty. Dwi'n dweud wrthoch chi, bydd y peth yn tyfu mor fawr â phlanhigyn triffid.'

Doedd dim syniad gan Gracie beth oedd triffid, ond gwenodd ar Tad-cu serch hynny.

Eisteddodd Marty wrth y ffenest, yn gwylio'r traeth yn diflannu yn y pellter, a'r llefydd gwyrdd yn mynd yn llai ac yn llai wrth iddyn nhw agosáu at y dref. Cariodd y tri y bwcedi i'r rhandir (gyda help y beic BMX). Rhedodd Gracie adre, ac aeth i fyny i ffenest ei stafell wely i godi llaw arnyn nhw i ddangos ei bod wedi cyrraedd y tŷ yn saff. Cerddodd Tad-cu gyda Marty i'w dŷ yntau.

Stopiodd Marty wrth y gât.

'Ti eisie dod mewn?' holodd, yn obeithiol.

Roedd hi'n amlwg bod y lle wedi cael ei glirio rhywfaint.

'Na, gwell peidio,' meddai.

Nodiodd Marty, gan drio'n galed i beidio dweud 'pliiis?'

'Nos da, 'machgen i.'

Nodiodd Marty, a dweud, 'Nos da, Tad-cu.'

Gwyliodd Marty ei dad-cu yn diflannu i oleuni oren y lampau stryd, cyn gweiddi'n uchel, 'Roedd heddi'n hwyl!'

Trodd Tad-cu, codi ei het drilbi am eiliad, cyn dweud, 'Wrth gwrs ei fod e!'

PENNOD
UN DEG UN

Roedd Mam wedi dechrau golchi dillad. Dyw hynny ddim yn swnio fel rhywbeth pwysig, ond roedd hi wedi golchi dillad a hyd yn oed eu hongian ar y lein yn yr ardd. Roedd y tywydd yn braf ac er bod yr holl sbwriel yn yr ardd wedi dechrau drewi'n waeth, roedd Marty ar ben ei ddigon. Edrychodd Marty arni'n dod i mewn i'r gegin, wrth iddo daenu menyn ar dost i'r ddau ohonyn nhw. Eisteddodd Mam a chymryd sip o'r te roedd Marty wedi ei wneud iddi.

'Wel? Dere, gwed wrtha i 'te!'

Edrychodd Marty yn syn arni.

'Ambutu ddoe, gethoch chi hwyl?'

Gwenodd Marty yn llydan. 'O, do!'

Doedd Marty ddim yn siŵr, ond oedd ei fam yn edrych ychydig bach yn siomedig?

'Wel, ie, roedd e'n ocê,' meddai wedyn.

Gwenodd Mam arno, rhoi ei chwpan i lawr ac edrych ar Marty heb ddweud gair am dipyn.

'Mae'n iawn, ti'n gwbod. Mae'n iawn i ti gael hwyl... Dwi eisie i ti gael hwyl.'

Gwenodd Marty yn ôl arni. Roedd e eisiau dweud y byddai'r diwrnod yn fwy o hwyl petai hi wedi bod gyda nhw, ond doedd e ddim eisiau gwneud iddi deimlo'n wael.

'Falle,' meddai Mam, 'rhyw ddiwrnod, yn yr haf, galla i ddod gyda chi.'

Nodiodd Marty.

'Shwt oedd Tad-cu?'

Bob tro roedd Mam yn dweud y gair 'Tad-cu' roedd e'n swnio'n od rhywffordd. Yn bigog. Fel petai hi newydd roi draenog yn ei law a rhaid bod yn ofalus sut i'w drin.

'Ma fe wedi prynu hedyn i fi. Yn anrheg pen-blwydd.'

Roedd Mam yn gwenu.

'Dim syniad beth yw e, ond ma fe'n tyfu'n glou. Y planhigyn 'ma. Mae'n anferth. Yn anferth, anferth. Ma Tad-cu'n dweud byddwn ni'n defnyddio'r planhigyn i fynd ar antur...'

Syrthiodd gwên Mam rhywfaint.

'Hm, *typical* Tad-cu!'

Roedd Marty'n clywed rhyw dinc ffwrdd-â-hi yn ei llais.

'Ond wir, Mam, dwi erioed wedi gweld unrhyw beth tebyg. Aethon ni i'r traeth i gasglu gwymon i wneud te iddo fe.'

'Te?!'

'Ie, dwi'n gwbod!' chwarddodd Marty. 'Ma Tad-cu eisie iddo fe dyfu mor fawr â'r tŷ.'

Gwrandawodd Mam yn astud wrth gnoi ei thost.

'Jyst cofia bod cynlluniau Tad-cu ddim wastad yn gweithio mas...'

Teimlodd Marty ei galon yn suddo.

'Ond...' aeth ei fam yn ei blaen. 'Dwi ddim yn taflu dŵr oer ar bethau, cofia, ond dwi wedi gorfod byw gyda'i gynlluniau dwl e erioed...'

'Do, mae'n siŵr,' atebodd Marty. Gwyliodd hi'n cymryd sip arall o de. Falle ei bod hi'n iawn. Falle fod yr haul wedi effeithio arno, neu ddawnsio Gracie neu rywbeth, ond am un eiliad fach roedd Marty wedi gobeithio bod cynllun Tad-cu'n mynd i weithio y tro yma.

'A ma Gracie'n meddwl...'

Cododd Mam un o'i haeliau. 'Gracie?'

Llithrodd enw Gracie o'i geg heb iddo feddwl. Doedd e ddim wedi sôn amdani o'r blaen. Yn sydyn, teimlai fel ffŵl.

'Fy ffrind…' meddai mewn llais bach.

'Dwi ddim wedi clywed amdani hi o'r blaen.'

Cododd Marty ei ysgwyddau a dweud, 'Mae'n byw yn un o'r tai mawr wrth y rhandir. Mae'n ferch neis.'

Roedd gwên yn lledu ar draws wyneb Mam.

'Wel, bydd rhaid iddi ddod draw.'

'Be? Fan hyn?'

'Ie, fan hyn! Ble arall?'

Edrychodd Marty o gwmpas a sylwi bod llai o lanast yn y tŷ nawr nag erioed. Roedd ei fam, am unwaith, wir yn edrych yn hapus.

'Bydd e'n neis i ti. Ti'n gwbod. I neud pethau normal. Galla i neud sgwosh a bisgedi i chi.'

Doedd Marty ddim wedi siarad â Gracie am ei fam. Am y tŷ. Doedd e ddim wedi gadael i neb ddod mor agos ato â Gracie o'r blaen. Ac er iddo feddwl dweud wrthi sawl gwaith, doedd e ddim eisiau rhoi unrhyw bwysau arni. Roedd Marty'n dychmygu bod Gracie wedi clywed rhyw sïon am ei fam yn yr ysgol ond doedd y pwnc ddim wedi codi rhyngddyn nhw, ac felly gallai esgus nad oedd y broblem yn bodoli.

'Marty? Ydw i'n mynd i gael cwrdd â hi, neu be?' gofynnodd Mam.

'Falle,' atebodd, gan godi ei ysgwyddau.

'Pff, dim *falle* amdani! Dere â hi draw. Gawn ni hwyl.'

Roedd Marty wedi trio gwahodd Gracie i'r tŷ ers rhai wythnosau, ond byddai'n newid ei feddwl bob tro cyn i'r geiriau ddod o'i geg. Doedd e ddim yn beth mawr. Dim ond gofyn iddi ddod am ddiod o sgwosh. Dim byd pwysig, ond rywffordd roedd e wedi llwyddo i gadw'r ysgol a'r cartref yn ddau beth ar wahân. Roedd e'n ymddiried yn Gracie, wrth gwrs, ond... roedd e'n teimlo'n beth mawr iddo. Brysiodd Marty i'r ysgol, gan wybod y byddai Gracie yn aros amdano. Roedd e braidd yn hwyr oherwydd roedd e wedi picio i'r rhandir ac roedd Tad-cu wedi dangos yr egin enfawr oedd wedi ymddangos ar y planhigyn dros nos. Roedd wedi crychu i gyd, mewn siâp torpido a bron mor hir â braich Marty! Rhythodd Marty arno'n gegagored wrth drio dychmygu pa liw fyddai'r blodyn. Byddai hynny'n rhoi rhyw fath o gliw iddo pa blanhigyn oedd e. Ond na. Dim byd. Roedd rhaid iddo dynnu ei hun oddi wrtho a rasio i'r ysgol, gan bendroni yr holl ffordd beth allai fod. Trodd y gornel a gweld Gracie yn sefyll wrth y wal.

'Sori 'mod i'n hwyr!' meddai, allan o wynt yn lân.

Rhowliodd Gracie ei llygaid a gwenu yr un pryd.

'Mae'n iawn. Ti 'ma nawr.'

Pnawn dydd Sul oedd hi ac felly roedd teimlad hollol wahanol pan oedd yr ysgol yn wag. Dim gweiddi. Dim taflu bagiau. Dim Gerry a'i griw. Dim ond ambell becyn gwag o greision yn siffrwd ar hyd yr iard dawel. Gwyliodd Marty Gracie yn tynnu ei siaced a'i thaflu ar y gwair cyn gosod ei ffôn ar ganol y wal sibrwd. Pwysodd y sgrin, dewis cân, a gadael i'r sain fownsio oddi ar y wal i'r ddau gyfeiriad, fel ei fod yn chwyddo'r sŵn y tu ôl iddi.

Ers i Gracie ddawnsio ar y traeth rai wythnosau'n ôl roedd syniadau wedi bod yn cyniwair yn ei phen am y clyweliad. Nid eistedd a meddwl a chynllunio pob symudiad ar bapur – doedd hynny ddim yn gweithio i Gracie. Ond weithiau byddai ambell symudiad yn dod i'w phen fel meddyliau neu deimladau, fel arfer pan oedd hi ar ganol gwneud rhywbeth arall. A doedd y meddyliau hynny ddim yn gwneud llawer o synnwyr chwaith, ar y dechrau. Roedden nhw fel sillafau neu synau, neu eiriau ar hap, ond yn araf bach, wrth iddyn nhw gael lle i ehangu yn ei phen, byddai ei chorff yn llenwi'r llefydd gwag, a'r ddawns yn datblygu'n sgwrs. Roedd hi eisiau i Marty fod yno, i roi ei farn yn onest, oherwydd ei farn e oedd bwysicaf iddi.

Ystwythodd ei chorff yn gyntaf, tynnu'r cymorth clyw o'r tu ôl i'w chlust, ac yna, yn araf, symudodd i ganol y gwagle. Caeodd ei llygaid a dechrau teimlo'r gerddoriaeth. Eisteddodd Marty ar y llawr, ei gefn yn pwyso ar y wal, a gadawodd i'r tonnau o sain lifo trwyddo. Safodd Gracie yn llonydd, fel petai'n gwrando ar rywbeth yn ddwfn, ddwfn y tu mewn i'w chorff. Teimlodd y rhythm yn dringo'i choesau. Safodd yno tan iddi bron â phwyso drosodd i un ochr. Camu. Chwifio breichiau. Doedd dim patrwm pendant ond roedd pob symudiad yn gwneud synnwyr. Doedd y gerddoriaeth ddim yn sŵn hapus, ond yn – ceisiodd Marty feddwl am air addas – llawn hiraeth? Gofidus? Doedd hi ddim yno. Ddim yno fel roedd e yno. Roedd hi fel petai'n bell, bell i ffwrdd, yn siarad â'r byd gyda'i chorff, ond roedd ei meddwl ar ryw blaned arall. Roedd Marty'n groen gŵydd drosto wrth ei gwylio. Roedd ganddi bŵer arallfydol. Gallai hi ddiflannu. I'r gofod yma.

Roedd dawnsio'n caniatáu iddi ddychmygu a diflannu i unrhyw le. Roedd hi'n hollol rydd.

Yn sydyn teimlodd Marty ryw deimlad anghyfarwydd. Edmygedd? Ie, ond hefyd cenfigen, o'r ddawn oedd ganddi i deimlo mor rhydd. Mor llyfn. I gael gofod. A gobaith? Ai dyna oedd y teimlad? Fod y llanw, ymhell i ffwrdd, ar fin troi?

Edrychodd Marty arni'n ymarfer am amser hir. Roedd wedi ei gyfareddu a'i swyno gymaint fel na sylwodd ar y dagrau'n llifo i lawr ei fochau.

PENNOD
UN DEG DAU

Wythnos yn ddiweddarach roedd blodyn melyn llachar ar y planhigyn, yn siriol a serennog. Yn ffliwtiog, yn anferthol, ac yn loyw yn haul mis Mehefin. Roedd y dail yn gorchuddio'r gwely pridd erbyn hyn ac roedd tendriliau a choesynnau pigog yn gwau trwy ei gilydd i gyd.

'O, hei, pwmpen yw hi!' gwaeddodd Marty.

Chwarddodd Tad-cu o waelod ei fol.

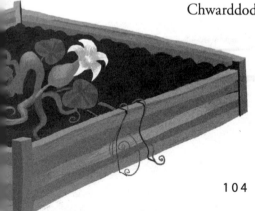

'O'r diwedd!' meddai, gan glapio'i ddwylo. 'Ro'n i'n meddwl fyddet ti *byth* yn dyfalu! Ond dyw hon ddim yn

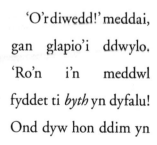

bwmpen gyffredin, 'machgen i! O, na! Mae hon yn Bwmpen Anferthol Atlantaidd, sy'n mynd i dyfu'n faint car!'

Chwarddodd Gracie hefyd.

'Mae hon, blantos, yn mynd i dyfu mor fawr fel bydd pobol yn gallu ei gweld filltiroedd i ffwrdd. Mae pawb ar y rhandir ac yn y dre gyfan yn mynd i fod yn genfigennus o hon. Hon, gyfeillion, yw'r cynllun mawreddog!'

'Y cynllun mawreddog yw tyfu pwmpen fawr?' holodd Marty, ei lais braidd yn fflat. Giglodd Gracie.

'Marty!' meddai Tad-cu, gan esgus bod yn grac, a gwthio ei frest allan. 'Paid â siarad fel'na. Nid dim ond pwmpen fawr fydd hon, o na! Bydd hi'n enfawr. Yn ansbaradigaethus o anferth! Yn creu hanes. Achos hon fydd...' – tawelodd ei lais a lledaenodd ei lygaid – '... y bwmpen fwyaf yn y byd mawr crwn!'

'*Y bwmpen fwyaf yn y byd?*'

'Ie!' Ac roedd holl gorff Tad-cu yn crynu gan gyffro. 'Dyma be sy'n mynd i ddigwydd. Ry'n ni'n mynd i aros tan iddi fwrw ffrwyth ac wedyn torri pob un heblaw'r un mwya, cryfa, iacha. Dewis yr un gorau a rhoi'n holl ymdrech i hwnnw. Ei drin fel brenin. Ei fwydo tan iddo dyfu'n dew, ei fwytho ag olew, rhoi popeth mae ei galon fach bwmpennaidd yn ei ddymuno iddo fe, ac wedyn, dim ond wedyn, bydd yr hwyl yn dechrau go iawn! Chi'n gweld, dim ond y cam cynta yw *tyfu*'r bwmpen...'

Roedd ei lygaid yn disgleirio.

'Cam dau yw'r un mwya diddorol...'

'A beth yw cam dau?' gofynnodd Gracie gan bwyso'n agosach ato.

'Cam dau yw'r peth gorau glywoch chi erioed. Bydd cam dau yn ffrwydro'ch pen. Bydd cam dau yn... chwed-lon-ol...'

Roedd Gracie yn ei astudio'n fanwl, a'i hwyneb yn mynd yn agosach ac yn agosach at wyneb Tad-cu. Roedd hi wedi ei swyno.

'Cam dau yw...?' holodd.

Arhosodd am yr ateb. Cadwodd Tad-cu y ddrama am ychydig bach hirach, ac yna, meddai...

'Ma hynna, bois bach, yn syrpréis...'

'O, Tad-cu, na! Paid neud hyn!' meddai Marty yn rhwystredig. Syrthiodd ysgwyddau Gracie mewn siom.

'... ond galla i ddweud hyn – bydd e'n anhyg-wych-endigedig!'

Rholiodd Marty ei lygaid.

'Breuddwydiwch am bethau mawr, ffrindiau annwyl. Pethau mawr. Nawr, dewch!'

Roedd y rhandir yn llawn bywyd erbyn hyn. Egin a brigau, bylbiau'n bolio a thendriliau'n ymlusgo. Fel petai popeth yn paratoi at yr haf. Yn llawn potensial.

'Wel, peidiwch sefyll fan'na fel dau lemon! Ma gwaith i'w neud!'

Dilynodd y ddau Tad-cu at gasgen oedd yng nghefn y sied. Amneidiodd ar Marty a Gracie i edrych ynddi. Teimlodd Gracie fel cyfogi yn syth. Yna sylwodd Marty ar y drewdod.

'O mam bach! Beth yw hwnna?' gwaeddodd Gracie.

'Hwn yw sylfaen y te pwmpen, 'merch i,' meddai Tad-cu yn falch.

Roedd y gasgen yn dri chwarter llawn o wymon a llysnafedd a duw a ŵyr beth arall oedd wedi bod yn stiwio yno ers eu trip i'r traeth gwpwl o wythnosau'n ôl.

'Beth sydd eisie nawr yw ei ferwi a'i droi'n dda.'

Edrychodd Marty a Gracie ar ei gilydd yn syn.

'Chi o ddifri?' meddai Gracie.

'Dwi gant y cant gyfan gwbwl o ddifri, 'machgen i!'

Aeth Gracie a Marty ati, felly, i gasglu coed tân. Roedd gan Tad-cu hen deiar rwber mawr, felly dyma roi pentwr o bren yn hwnnw. Chwilion nhw am unrhyw beth fyddai'n gallu llosgi. Aeth Marty i nôl y matsys tra bod Tad-cu yn rholio'r gasgen yn ofalus at y tân, ac yna, gyda chryn drafferth, ei chodi a'i gosod ar y pentwr o bren.

'Wooo!' ebychodd, gan sythu, a'i lygaid yn disgleirio. 'Reit, dewch i ferwi te...'

Cynnodd Tad-cu'r tân ac edrychodd y tri ar y mwg yn chwifio'n golofnau du i'r awyr cyn lleihau wrth i'r fflamau gydio. Dyma nhw'n gwrando ar y coed tân yn tasgu ac yn clecian.

'Mae'n mynd i gymryd oes!' meddai Marty. Tapiodd Tad-cu ochr ei drwyn cyn mynd i'r sied i nôl ei botel ffyddlon o betrol. Taflodd ambell ddiferyn ar y tân gan wneud i'r fflamau lamu bedwar metr i'r awyr.

'Fflipin ec!' gwaeddodd Marty, gan deimlo'i wyneb yn boeth gan wres y tân.

'Dwi'n meddwl 'mod i wedi colli fy aeliau!' meddai Gracie, gan chwerthin a chuddio'i hwyneb yn ei dwylo.

Cyn hir roedd y gasgen yn ffrwtian fel crochan. Gwyliodd Tad-cu'r sioe yn wên o glust i glust, gan rwbio'i ddwylo gyda'i gilydd.

'Hi-hi!' meddai. 'Bant â ni!'

Yna, sylwodd Gracie a Marty fod Tad-cu wedi casglu pethau mewn rhes i'w rhoi yn y gymysgedd. Pentyrrau o ddanadl poethion. Crwyn bananas. Potel o ryw hylif melyn tebyg iawn, iawn i bi-pi. Plopiodd Tad-cu bopeth fesul un i'r gasgen, gan wneud i liwiau rhyfedd godi, fel petaen nhw'n anfon arwyddion mwg. Yna, y *pièce de résistance* – daeth Tad-cu â rhyw fath o beiriant o'r sied. Edrychodd Gracie ar Marty. Rhoddodd Marty ei ben yn ei ddwylo…

'O na…'

Edrychodd Gracie yn ofidus am eiliad.

'Beth yn y byd yw hwnna?'

Dyma'r ddau yn gwylio Tad-cu yn gwthio rhywbeth tebyg i gorryn marw enfawr draw at y gasgen.

'Hwn yw'r Tröwr Te 300. Fersiwn newydd, llawer gwell!'

Taflodd ambell un o goesau'r horwth peth dros y gasgen fel petai'r corryn yn eistedd ar yr hylif. Aeth Tad-cu yn ôl i'r sied wedyn, ac ar ôl tipyn o chwilota, daeth yn ôl gan gario rhaw. Rhoddodd y rhaw yn y gasgen, gan osod pen yr handlen dan gorff y corryn. Edrychodd ar Gracie a Marty a rhoi winc fawr iddyn nhw. Yna, rhybuddiodd nhw gyda'i fraich i symud yn ôl.

'Reit, dewch i ni weld ydy'r biwti 'ma'n gweithio…'

Gwasgodd y botwm a dyma'r gasgen yn dechrau siglo. Gwgodd Marty a throi i ffwrdd. Yna, cydiodd coesau'r corryn mawr yn ochrau'r gasgen, a chleciodd handlen y rhaw yn erbyn y metel.

'O na,' meddai Gracie, gan gamu'n ôl.

'Peidiwch poeni. Bydd popeth yn iawn!'

A dechreuodd y Tröwr Te 300 droi. Yn araf i ddechrau, gan wneud sŵn wwwsh. Yna'n gynt ac yn gynt. Roedd arogl ofnadwy. Arogl anhygoel o ffiaidd, yn crafu'r gwddw. Bob hyn a hyn byddai swigod gwyrdd fel petrol yn codi i'r wyneb dan hisian ac yn popio fel rhyw dorri gwynt afiach. Roedd Tad-cu yn gwylio'r cyfan, a'i lygaid yn sgleinio'n hapus.

'Wna i droi e'n uwch?' gofynnodd.

'Na!' gwaeddodd Marty, oedd heb anghofio ei gwpan te yn hedfan ac yn tasgu te berwedig drosto.

Yn araf bach, dechreuodd y gymysgedd ferwi i lawr a thewhau. A thywyllu. Newidiodd o liw melyn golau i goch i frown ac i ddu-las. Ogleuodd Tad-cu yr hylif, fel petai'n arbenigwr gwin yn arogli potel ddrud o siampên. Diffoddodd y peiriant a rhoi un o'i gwpanau enamel yn y gymysgedd. Edrychodd Gracie a Marty yn gegagored wrth i Tad-cu godi'r cwpan at ei wefusau…

'Tad-cu! Na!' gwaeddodd Marty.

Chwarddodd Tad-cu. 'Ha! Dwi ddim yn mynd i yfed e! Wir nawr!'

Tynnodd anadl ddofn i arogli'r hylif eto, a gwenodd. 'Ma fe'n barod, dwi'n credu, bois bach!'

Haliodd Tad-cu'r gasgen o'r tân a thaflodd Marty fwy o goed i'w gadw ynghyn am dipyn bach eto.

Roedd hi'n dawelach yn y rhandir erbyn hyn. Sŵn drysau'n cau. Pobol yn gadael am y dydd. Roedd llond casgen o de pwmpen yn stemio'n dawel yn y gwyll.

'Ti'n siŵr sdim rhaid i ti fod adre erbyn swper?' gofynnodd Tad-cu i Gracie. Edrychodd Gracie draw ar ei thŷ. Roedd hi'n dywyll yno. Doedd neb adre.

'Na, mae'n iawn,' meddai, gan godi ei hysgwyddau.

Gwyliodd Tad-cu hi gyda'i lygaid yn gul am eiliad, cyn dweud,

'O wel, ti sy'n gwbod...'

A dyna pryd aeth e i nôl paced o selsig llwyd iawn o'r sied a dechrau eu coginio ar fforc hir dros y tân. Byddai'n rhegi bob hyn a hyn wrth i saim dasgu ar ei law, ac yna'n ymddiheuro i Gracie am ei iaith anweddus, gan chwerthin yr un pryd. A dyma'r tri ohonyn nhw'n bwyta'r selsig, gan losgi eu tafodau

ac mewn peryg o gael gwenwyn bwyd difrifol, ond roedd
Marty'n meddwl mai dyna oedd y selsig mwyaf blasus iddo
eu bwyta erioed.

PENNOD
UN DEG TRI

'Marty, Marty, Marty! Dwi wedi trio dy helpu di ond mae *hi* am dy waed di.'

Roedd Mr Garraway yn sefyll yno mewn tracwisg hynod, hynod o dynn. Rhedodd ar hyd y coridor at Marty a sefyll o'i flaen gyda'i ddwy law ar ei bengliniau, allan o wynt yn lân. Doedd Marty ddim yn deall pam roedd rhywun mor anystwyth yn hoff o wisgo dillad chwaraeon a dysgu ymarfer corff. Roedd Marty wedi bwriadu rhoi ei waith cartref i mewn, ond doedd e ddim cweit wedi llwyddo, yn anffodus.

'Mae ar dy ôl di!' meddai Mr Garraway gan hisian trwy ei ddannedd. Edrychodd i fyny ar Marty.

'Sori?'

'Mae ar dy ôl di. Y blaidd. Y bòs. Ti'n gwbod… Wedes i wrthot ti am wneud dy waith cartre. Beth bynnag, mae *hi* wedi clywed, a bish bash bosh, mae hi am dy waed di, fel anghenfil mawr cas…'

Doedd Mr Garraway yn amlwg ddim wedi clywed clician sodlau Miss James oherwydd erbyn hyn roedd hi'n sefyll wrth ei ymyl.

'Ro'n i eisie dy rybuddio di, dyna i gyd…'

'A-hyymm!'

Rhewodd Mr Garraway a throdd ei wyneb yn lliw toes heb ei goginio. Edrychodd ar Marty mewn panig.

'Mae tu ôl i fi…?'

Nodiodd Marty yn araf.

'Ydy, Mr Garraway. Mae'r… anghenfil mawr cas, fel dwedoch chi, fan hyn…'

Trodd Mr Garraway i'w hwynebu, gan roi gwên fawr ffals, a cheisio dod allan o'r twll roedd wedi ei balu iddo'i hun.

'Do'n i… wrth gwrs… pan ddwedes i… ddim yn cyfeirio atoch chi…'

'O, Nigel, plis.' A rhoddodd olwg fel cyllell finiog iddo. 'Rhaid i fi gael gair gyda Marty…'

Roedd Mr Garraway wedi dechrau nodio a bowio a

throelli'n ysgafn droed o gwmpas Miss James, cyn rhedeg i ffwrdd i lawr y coridor. Gwnaeth Miss James ystum â'i phen yn arwydd i Marty ei dilyn i'w swyddfa.

Plethodd fysedd ei dwylo ar y ddesg a rhoi golwg filain, heriol iddo.

'Mae'n edrych yn debyg, Marty, er i ti gael sawl rhybudd, nad wyt ti wedi bod yn gwneud dy waith cartref. Mae anghofio yn un peth, ond mae bod yn gwbwl anufudd nifer o weithiau yn rhywbeth arall.'

Roedd hi'n dawel am ychydig. Yn ei bwyso a'i fesur yn ofalus. Yna, daeth yr ergyd farwol.

'Dwi eisiau rhoi enw dy fam ar fy rhestr o apwyntiadau Noson Rieni.'

Gwelwodd wyneb Marty. Doedd hynny byth yn mynd i ddigwydd.

'Ym, wel, dwi ddim yn siŵr ydy hi'n gallu dod.'

Cododd Miss James un ael.

'Wel, mae'n gweithio lot.'

'Ond dwi'n siŵr bod ganddi ddiddordeb yn sut mae dy waith academaidd di'n datblygu?' gofynnodd Miss James.

'Wrth gwrs, ond… mae'n brysur, 'na i gyd.'

Rhoddodd Miss James edrychiad oeraidd iddo.

'Wel, fe fydd hi ar fy rhestr i, a dwi'n siŵr y bydd hi'n gwneud pob ymdrech i ddod i 'ngweld i.'

Llyncodd Marty yn galed.

'Beth os na ddaw hi?' gofynnodd, gan drio peidio swnio'n hy.

'Wel, falle bydd rhaid i fi neud apwyntiad i'w gweld hi yn y tŷ?'

Nodiodd Marty.

'Reit, bant â ti...'

Roedd Marty wir wedi bod yn edrych ymlaen at y diwrnod, tan iddo gael ei gornelu gan Miss James. Roedd e wedi codi'n gynnar, wedi clirio rhywfaint wrth y drws cefn ac wedi socian cwpanau mewn hylif golchi poeth, poeth fel eu bod yn sgleinio pan fyddai e a Gracie yn cael sgwosh. Roedd Gracie'n aros amdano wrth y rac feics. Heddiw oedd y diwrnod roedd hi'n dod i dŷ Marty. Dyma'r tro cyntaf iddo ddod ag unrhyw un i'w gartre ac roedd e'n edrych ymlaen. Roedd wedi bod yn sôn wrth Gracie yn ddiweddar am ei fam. Dim dweud popeth. Dim ond pam nad oedd hi byth yn gadael y tŷ a phethau fel'na. Gwthiodd Marty ei feic ac roedd Gracie yn cerdded, wel, yn dawnsio wrth ei ymyl.

'Be sy'n bod?' gofynnodd hi ar ôl ychydig.

Cododd Marty ei ysgwyddau. 'Mae'r Prif eisie gweld Mam yn y Noson Rieni.'

Ystyriodd Gracie y geiriau, a dechrau cerdded yn normal. Roedd Marty'n gallu gweld ei bod hi'n meddwl yn ddwys.

'Wel, falle eith hi?'

Roedd Marty wedi meddwl am hynny hefyd. Meddwl am ei fam wedi gwella. Meddwl amdani yn cerdded at y lein ddillad ac yn ôl i'r tŷ. Meddwl am sut roedd hi'n cadw'r llanast i gyd dan reolaeth.

'Falle dylet ti ofyn iddi?' gofynnodd Gracie.

Roedd Gracie'n iawn. Efallai y byddai ei fam yn fodlon mynd i'r Noson Rieni, er ei fwyn e. Roedd hi wedi addo. Wedi addo gwneud ymdrech, ac mi oedd hi, chwarae teg. Roedd Marty'n teimlo'n well ar ôl rhannu hyn gyda Gracie, a cherddodd y ddau mewn tawelwch am dipyn.

'Dwi wedi llenwi'r ffurflen gais…' meddai hi o'r diwedd. 'Ar gyfer y gystadleuaeth. Aeth e yn y post bore 'ma…'

'O, gwych!' meddai Marty, yn falch iawn drosti.

'Ti… ti'n sylweddoli bydd rhaid i fi symud ysgol os bydda i'n llwyddo?'

Stopiodd Marty yn stond.

'Pam?'

'Bydd angen ymarfer bob nos. Fydda i ddim yn gallu dod adre bob dydd.'

Gwasgodd Marty handlenni'r beic BMX yn galed.

'Ond bydda i *yn* dod adre bob penwythnos.'

Dechreuodd Marty gerdded yn ei flaen, ac aeth gweddill y daith heibio mewn tawelwch. Roedd Marty'n meddwl sut i gael ei fam i'r ysgol a Gracie'n meddwl cymaint fyddai hi'n gweld eisiau'r cerdded yma petai hi'n cael lle yn yr ysgol ddawns. Sylwodd y ddau ar ddim byd tan i Marty agor y drws cefn. Roedd y stafell gefn yn orlawn eto, yn un cawdel cymysglyd o stwff. Doedd hyn ddim yn gwneud synnwyr o gwbwl i Marty. Edrychodd ar Gracie a'i gweld hi'n rhythu ar y bagiau o hen ddillad a'r mygiau wedi tolcio a'r domen o sosbenni. Y stafell yn llawn eto o sbwriel a hen garped a phob math o geriach.

'Sori, Marty,' meddai ei fam. Gwelodd Marty hi'n eistedd yng nghanol y llanast. 'Dwi ddim yn gallu. Dwi ddim yn ddigon cryf. Dwi angen fy stwff i.'

Roedd calon Marty yn pwmpio'n galed, ei olwg yn culhau a theimlai'n sâl yn sydyn. Llithrodd ei fag ysgol ar y llawr, a rhedodd. Rhedeg a rhedeg, gan adael Gracie yn edrych ar ei fam yn crio ar y llawr.

PENNOD
UN DEG PEDWAR

'O'n i'n meddwl mai fan hyn fyddet ti.'

Roedd Gracie wedi dod â brecwast iddo. Estynnodd frechdan jam i Marty, a oedd yn cael ei ddallu gan haul y bore. Roedd hi wedi bod yn oer yn y sied drwy'r nos. Dechreuodd Gracie wneud te mewn tawelwch. Doedd hi ddim eisiau rhoi pwysau ar Marty i siarad.

'Mae'n meddwl mwy am ei stwff nag amdana i,' meddai o'r diwedd.

Rhoddodd Gracie baned iddo, gan eistedd ar fwced pen i waered.

'Ti wir yn meddwl hynna?'

Roedd llygaid Marty'n goch ar ôl crio.

'Wnaeth hi addo.'

Rhoddodd Gracie ei llaw ar ei fraich, a dagrau yn ei llygaid hi hefyd.

'Dwi mor sori.'

Tynnodd Marty ei fraich oddi wrthi.

'O'n i'n arfer meddwl mai dyna beth oedd yn normal,' a rhoddodd chwerthiniad sur, 'pan o'n i'n fach. Bod pawb yn byw fel'na.'

Sniffiodd Marty. Roedd ei drwyn yn rhedeg a'i ben yn brifo ar ôl bod yn crio bron drwy'r nos.

'Mae'n iawn os, ti'n gwbod, ti ddim eisie bod yn ffrindie —'

'Paid bod yn ddwl!' torrodd Gracie ar ei draws. 'Ydy hi'n gwbod bod ti wedi cysgu fan hyn?'

Cododd Marty ei ysgwyddau.

'Hy! Be mae'n mynd i neud? Chwilio amdana i?'

'Fydd hi wedi ffonio Tad-cu?'

'Bydd hi wedi bod yn rhy brysur yn llusgo'r holl stwff yna'n ôl mewn i'r tŷ. Pan mae fel hyn, sdim byd arall yn bwysig…'

Roedd y te yn stemio yn aer oer y bore.

'Mae'n twyllo'i hunan. Byddet ti'n meddwl bydde fe'n amhosib… ond mae'n twyllo'i hunan bod angen y stwff 'na arni. Mae'n credu'r celwydd mae'n ddweud dro ar ôl tro…'

'Wel, falle'i bod hi?' meddai Gracie.

'Ond ma fe mor stiwpid!'

'Falle bod pob un yn credu ei gelwydd ei hunan, yn twyllo'i hunan bod e angen rhywbeth neu eisie rhywbeth neu fod yn rhywbeth arall,' meddai Gracie yn dawel.

'Ond mae hynny'n wahanol!'

'Ydy e?' meddai gan edrych i fyw ei lygaid a chodi ei hysgwyddau. 'Credu pethau. Gorfodi dy hunan i gredu. Dyw hynny ddim bob amser yn beth gwael.'

'Mae'n stiwpid! Dylai pawb jyst derbyn eu hunain fel maen nhw. Allwn ni ddim newid. Os ydy hyn yn profi unrhyw beth, mae'n profi hynna! A'r breuddwydion yma i gyd, jyst nonsens!'

'Paid dweud hynna!'

'Tad-cu a'i hedyn, a ti a dy ddawnsio! Ni'n twyllo'n hunain. Dyw'r byd… dyw e ddim yn becso dam.'

Roedd Marty'n gwybod ei fod wedi brifo Gracie. Doedd dim rhaid iddi ddweud gair, ond roedd e'n teimlo mor grac. Roedd e fel petai wedi agor y drws i'r stafell yna roedd e wedi stwffio popeth oedd yn brifo i mewn iddi, a nawr roedd popeth yn dechrau llifo allan.

'Mae pobol jyst yn addo pethau heb feddwl. Allwn ni ddim newid pwy y'n ni. Na beth sy wedi cael ei roi i ni.'

Roedd Gracie wedi codi. 'Dwi'n gwbod bod ti'n grac ond —'

'Ydw, dwi'n grac. Dwi'n rili fflipin grac! Yn grac 'mod i'n styc, gyda hi, yn y tŷ 'na, a dwi'n grac bod dim dewis arall. A dwi'n grac bod hi mor ddi-ddim a dwi'n grac bod dim pwynt a dwi wedi blino! Wedi cael llond bol ar drio a thrio mor galed a chael dim byd yn ôl!'

Gwrandawodd Gracie arno, a'i hwyneb yn wag.

'Mae gyda ti fi, a Tad-cu.'

'Tad-cu?!' Chwarddodd Marty. 'Hy! Be ma fe'n neud? DIM BYD! DIM BYD! Jyst eistedd yna yn meddwl am ryw syniadau stiwpid sy'n golygu DIM BYD! Dyna pam nath Mam-gu ei gicio fe mas o'r tŷ. Achos doedd dim un o'i gynlluniau pathetig e'n gweithio!'

Doedd dim smic heblaw anadlu trwm Marty. Yna, daeth pesychiad bach tu ôl i Gracie. Tad-cu. Roedd wedi tynnu ei het drilbi ac yn sefyll yna, yn dal ei het wrth ei galon. Edrychodd Marty ar wyneb ei dad-cu, yna ar Gracie ac yn ôl at Tad-cu. Roedd e'n teimlo'n sâl. Fel petai'r holl eiriau ddaeth o'i geg yn blasu'n afiach.

'Sori,' meddai wrth Gracie.

Nodiodd hithau. Doedd dim sŵn.

'Well i fi fynd i'r ysgol,' meddai Gracie wedyn, gan droi a chario'i bag ar ei hysgwydd.

'Gracie, dwi mor sori...' ond roedd hi wedi gadael heb glywed. Gwyliodd Marty hi'n cerdded trwy'r rhandiroedd i'r ysgol, ei phen yn isel. Safodd Marty wrth i'w dad-cu syllu arno. Cywilydd yn llosgi ei fochau. Arhosodd Tad-cu am rai eiliadau.

'Wel, diolch byth am hynna!' meddai o'r diwedd. 'Bach o dân yn dy fol. O'n i'n meddwl am eiliad bod y fflam fach 'na ynddot ti wedi diffodd.'

Cododd Marty ei ben.

'Be?'

'Dwi wedi bod yn meddwl pryd fyddet ti'n deffro... fel yr hedyn. Yn tasgu ar agor. Jiw jiw, o'n i wedi anobeithio, wir.' Gwenodd a mynd i arllwys te.

Syrthiodd ysgwyddau Marty.

'Dyw e ddim yn iach, ti'n gwbod, i gadw popeth mewn, dala popeth 'nôl... dyna'n union pam sdim byd gyda fi a bod popeth gyda dy fam.'

'Ti ddim yn grac?'

Chwarddodd Tad-cu.

'Na! Dwi'n browd… er, dwi ddim cweit yn cytuno bod fy syniadau i gyd yn stiwpid chwaith…' meddai gyda gwên.

Eisteddodd Marty, ei gorff a'i ben a'i lygaid yn brifo. Rhoddodd Tad-cu ei law drwy wallt Marty, a rhoi ei de iddo.

'Y tân, yr angerdd yna rwyt ti newydd ddangos, dyna beth sy'n mynd i fynd â ti i lefydd… alli di ddim ei gadw dan glo. Cer gyda'r llif. Gad i'r teimladau lifo drwyddot ti… fel Gracie pan mae hi'n dawnsio… Paid â bod ofn dangos dy deimladau. Mae teimlo angerdd fel'na'n gallu troi breuddwydion yn wir, yn bethau mawr go iawn.'

'Ti'n siŵr?' Roedd Marty'n crynu, fel babi newydd ei eni, yn gweld yr haul am y tro cyntaf.

'Dwi'n hollol siŵr,' atebodd. 'Rhaid i ni ddal i gredu… Dy fam, mae problemau mawr gyda hi, a dim ond hi all eu datrys. All hi ddim help. Amser sydd eisie arni…'

Gwenodd Marty wên drist.

'Beth am ddiwrnod bant heddi, e? Ysgrifenna i nodyn i ti fynd i'r ysgol fory… dere i weld allwn ni ddewis pa bwmpen i gadw.'

Nodiodd Marty a gwylio'r rhandiroedd yn deffro. Roedd

Sadiq wrthi'n dyfrhau. Y ddynes yn rhandir rhif 7 yn rhoi bwyd i'r adar ac yn gwneud sŵn gwichian doniol â'i gwefusau, fel petai'n cusanu wrth alw ar yr adar. Roedd John Trinidad yn plannu yng ngolau gwan y bore. Roedd Tad-cu'n iawn. Roedd e'n teimlo rhywfaint yn well. Yn ysgafnach rywffordd. Rhwbiodd ei war â'i law gan edrych ar y planhigyn yn gwau ei ffordd o gwmpas y rhandir.

Ond roedd un peth yn dal i wasgu arno. Sut oedd e'n mynd i ymddiheuro i Gracie?

PENNOD
UN DEG PUMP

Roedd fflat Tad-cu yn fach. Roedd Marty'n gyfarwydd â byw mewn lle cyfyng ond roedd y fflat yn fach mewn ffordd wahanol i'r tŷ. Roedd e'n bitw, bitw. Un stafell, hanner wal, toilet tu ôl i'r wal a ffwrn drydan gyda dwy ring ar y top. Roedd yn mynd draw i aros yno weithiau pan oedd e'n iau, ond gyda thafarn swnllyd odano a meddwon yn gweiddi yn y stryd tu allan, doedd Marty byth yn gallu cysgu. Edrychodd Marty ar Tad-cu yn brwsio'i het drilbi.

Roedd Tad-cu wedi siarad â mam Marty ar y ffôn a'r ddau wedi penderfynu mai'r peth gorau fyddai i Marty aros gyda Tad-cu am gwpwl o fisoedd. Roedd e wedi clywed Tad-cu yn esbonio bod Marty'n tyfu, yn fwy ymwybodol o'r hyn oedd yn digwydd o'i gwmpas a bod ei waith ysgol yn dioddef. Gallai Marty ei chlywed hi'n crio ben arall y ffôn, ond roedd Tad-cu wedi bod yn gadarn. Roedd angen amser arni i gael trefn a doedd hynny ddim yn deg â Marty. Roedd calon Marty yn gwaedu wrth ei chlywed yn crio ond roedd e'n trio peidio â gadael i hynny effeithio gormod arno.

Roedd Gracie'n ei anwybyddu yn yr ysgol. Bob tro byddai Marty'n mynd ati i ymddiheuro byddai hi'n cerdded i ffwrdd. Bob tro byddai'n sgwennu nodyn, byddai hi'n ei roi yn y bin, heb ei ddarllen. Roedd ganddo gymaint i'w ddweud wrthi – pa mor fawr oedd y bwmpen, pam roedd e'n byw gyda Tad-cu, pa mor sori oedd e am ei brifo – ond doedd dim iws. Roedd hi fel petai'n diflannu mewn pwff o fwg bob tro'r âi'n agos ati.

Trodd Tad-cu ato a dweud, 'Barod?'

Doedd Marty ddim wedi arfer cael rhywun i ddod gydag e i Noson Rieni. Efallai fod peidio mynd i'r Noson Rieni oherwydd diffyg diddordeb yn swnio'n cŵl, ond i Marty, roedd y ffaith fod ei dad-cu gydag e yn gwneud iddo deimlo'n dalach.

Roedd Miss James yn eistedd yn stiff fel duges, a'i choesau wedi eu plygu i un ochr pan gerddon nhw i mewn i'w

swyddfa. Roedd y coridorau yn ferw gan blant a rhieni, ond roedd hi fel y bedd yn y swyddfa. Dyma lle roedd rhieni 'plant â phroblemau' yn dod, mae'n amlwg.

'Chi'n edrych yn hardd iawn heno, Miss!' meddai Tad-cu gyda winc, ac roedd Marty'n siŵr fod Miss James wedi cochi rhywfaint. Fyddai e ddim wedi credu'r peth – pe na bai wedi'i weld â'i lygaid ei hun – ond gwyliodd yn gegrwth wrth i Tad-cu ddechrau seboni.

'Cyn dechrau, hoffwn i ddiolch o galon i chi am arwain ysgol mor arbennig. Mae fy ŵyr yn eich canmol chi a'r staff i'r cymylau!'

Roedd llygaid Miss James wedi eu hoelio ar Tad-cu. Gallai Marty daeru bod ei phen hi'n chwyddo!

'Rydyn ni mor lwcus i gael ysgol yn ein cymuned sy'n cael ei harwain mor wych.'

Edrychai Miss James fel petai wedi bod yn cropian mewn anialwch am dros fil o flynyddoedd ac yn sydyn wedi dod ar draws ffynnon o werthfawrogiad.

'Wel, ym, diolch...' ond cyn iddi fynd ymlaen dyma Tad-cu yn dechrau siarad eto.

'A hoffwn siarad â chi am Marty fan hyn, os ydy hynny'n iawn...'

'Wel, ydy, wrth gwrs, dyna pam ro'n i wedi gofyn i'ch gweld chi...' dechreuodd eto.

'Fel y gwyddoch chi, mae e'n blentyn llawn dychymyg —'

'Ydy, dwi'n siŵr...' a gwridodd eto oherwydd doedd hi ddim yn gyfarwydd â sgiliau Marty o gwbwl.

'Ac mae e'n gweithio'n galed iawn...'

'Wel, ro'n i eisiau siarad â chi am ei waith cartre...'

'Gwaith cartre!' chwarddodd Tad-cu. 'Nawr 'te, dwi'n siŵr eich bod chi'n gyfarwydd ag Albert Einstein...'

'Wel, ydw, ond...'

'Fethodd e bob un arholiad, chi'n gwbod... gwarthus. Methu llwyddo mewn unrhyw brofion...'

'Wir?'

'Go iawn. Ac fel mae'n digwydd, dim ei fai e oedd hynny, ond bai'r system addysg...'

'Ie, ond... Mr...?'

'Galwch fi'n... Cuthbert. Elaine y'ch chi, ie?'

'Ym, ie...' Roedd Miss James wedi drysu'n lân. 'Dwi'n credu dylen ni sôn am dargedau cyrhaeddiad Marty,' meddai.

'Dwi'n cytuno! A dwi'n siŵr y cytunwch chi â fi, Elaine, mai'r arwydd gorau o allu rhywun yw'r dychymyg, nid gwybodaeth... Dyfalwch pwy ddwedodd hynna...'

Edrychai Miss James mewn penbleth.

'Ie, Einstein eto, wrth gwrs!' meddai Tad-cu, heb dynnu ei lygaid oddi arni. 'Dwi'n falch ein bod ni'n deall ein gilydd. Mae Marty'n dod ymlaen yn dda, yn tyfu'n ddyn ifanc godidog, diolch i chi! Ac fel ry'n ni i gyd yn gwbod, allwch chi ddim barnu llyfr cyfan yn ôl y clawr, na gwbod sut bydd mwydyn bach yn tyfu, os chi'n deall beth sy gyda fi.'

'Ym, wel, na, am wn i...'

'Dyna ni! Falch ein bod ni'n cytuno felly.'

Roedd Tad-cu ar ei draed erbyn hyn. Gwenodd yn llydan ar Miss James.

'Dwi mor falch i gwrdd â chi o'r diwedd!' Yna syllodd arni am amser hir a thynnu anadl ddofn. 'Ry'ch chi wir yn ysbrydoliaeth! Mor ysbrydoledig!' Yna trodd a thynnu Marty drwy'r drws.

Eisteddai Miss James yno, yn edrych fel petai wedi cael ei tharo gan stêm-roler llawn carisma.

Aeth Marty a'i dad-cu i nôl tsips ar eu ffordd adre, a phenderfynu picio i'r rhandir i weld y bwmpen. Cynnodd Tad-cu dân a chario ei gadair wichlyd allan. Eisteddodd Marty ar hen stwmp coeden. Fe fwyton nhw'r tsips a gwylio'r fflamau, eu hwynebau'n boeth a'u cefnau'n oer.

'Diolch am heno,' meddai Marty.

Gwenodd Tad-cu a dweud, 'Mae'n iawn.'

Eisteddodd y ddau a gwrando ar glecian y fflamau.

'Mae'n wir, ti'n gwbod… am Einstein…'

Meddyliodd Marty am hyn.

'Mae unrhyw beth yn bosib os galli di freuddwydio amdano…'

Hm, doedd Marty ddim yn siŵr am hynny. Edrychodd Tad-cu arno a dweud, 'Wyt ti eisie gwbod beth yw'r cynllun mawr?'

Cododd Marty ei ben. Roedd Tad-cu yn eistedd ar flaen ei gadair.

'Wyt ti wir yn mynd i ddweud wrtha i'r tro yma neu be?' holodd Marty.

'Mae'r amser wedi dod…' atebodd Tad-cu, a'i lygaid yn dechrau dawnsio. Plygodd yn nes at Marty. Edrych o'i gwmpas. Gwneud yn siŵr nad oedd neb yn gwrando. Ond doedd neb arall yn y rhandir yr amser hyn o'r nos, heblaw ambell dylluan.

'Beth y'n ni'n mynd i neud, Tad-cu?'

Arhosodd Tad-cu'n dawel am eiliad hir, ddramatig, gwenu ar Marty a dweud,

'Ni'n mynd i Baris…'

'Be?!' ebychodd Marty. 'Ti wedi ennill y loteri neu rywbeth?'

'Na! Dyma'r cynllun hollol arbennig, Marty! Dy'n ni ddim yn mynd mewn awyren…'

'Sori, Tad-cu, sai'n deall…'

Doedd dim brys ar Tad-cu, oedd yn gwylio wyneb ei ŵyr.

'Ni'n mynd i aros nes bod y bwmpen yn tyfu'n ANFERTH,' meddai, gan wenu, 'a wedyn, pan fydd hi wedi cyrraedd ei llawn dwf, byddwn ni'n tynnu'r canol i gyd mas, ffitio injan arni, hongian hwyl a bant â ni!'

Doedd Marty ddim yn siŵr oedd Tad-cu yn disgwyl rhyw glapio brwd neu rywbeth, ond allai e wneud dim byd ond edrych arno yn gegagored.

'Ni'n mynd i hwylio i Baris mewn pwmpen?'

'Ydyn! A cyn i ti ddechre meddwl ei fod e'n syniad hollol, hollol boncyrs, dwi wedi gweithio popeth mas! Maen nhw'n gallu arnofio, ti'n gweld. Dwi bron â gorffen potsian â'r hen injan, ychydig o wynt i chwythu y tu ôl i ni a byddwn ni yna!'

A dyma Marty yn chwerthin. A chwerthin a chwerthin. Dechreuodd gyda gwên, yna gigl fach, yna piffian a snwffian nes ei fod yn chwerthin ei hochr hi. Doedd e ddim wedi chwerthin fel'na ers pan oedd e'n blentyn. Edrychodd

Tad-cu arno, gan chwilio am ryw ymateb arall heblaw chwerthin. Pan stopiodd Marty, a'r dagrau'n llifo i lawr ei fochau, dyma Tad-cu yn crafu ei ben a phwyso ymlaen ato.

'Wel? Be ti'n feddwl?'

Edrychodd Marty arno. Roedd e'n hollol o ddifri.

'Tad-cu! Ti'n honco bost!'

Edrychodd Tad-cu ychydig yn siomedig.

'Dyw e ddim yn neud sens. Mae'n wallgo!'

Meddyliodd Tad-cu am hyn.

'Mae'n well gyda fi fod yn wallgo nag yn ddiflas, 'machgen i. Meddylia! Ti. Fi. Y cwch-bwmpen anhygoel a'r môr mawr glas.'

'Ond mae'n amhosib!'

'Na! Edrycha! Mae'n bwmpen odidog yn barod! Mae jyst angen iddi chwyddo ychydig bach yn fwy. Wedyn bydd angen ffôm arbennig i gadw'r injan yn ei lle, hwyl, rhaff a help Colin y dyn llaeth, ond Marty, dwi'n siŵr gallwn ni neud hyn!'

Roedd Marty wedi drysu. Cydiodd Tad-cu yn ei law.

'Gwranda, Marty, dwi'n gwbod bod… Dyw pethau ddim wedi bod yn hawdd. Mae pobol wedi dy siomi, ond alli di ddim anghofio am dy freuddwydion, alli di ddim peidio credu bod unrhyw beth yn bosib, ac os galla i lwyddo i wneud unrhyw beth yn 'y mywyd, fe brofa i hynny i ti…'

Roedd Marty yn ymladd i geisio dal y dagrau'n ôl. Roedd hynny wedi bod yn anodd dros y dyddiau diwethaf. Roedd fel petai'r holl ddagrau wedi cronni y tu ôl i'w lygaid a gyda'r gwthiad bach lleiaf, wwwsh, byddai pob un yn llifo allan gyda'i gilydd.

'Mae'n mynd i fod yn wych, Marty! Creda fi.'

Edrychodd Marty arno, ei wyneb wedi ei oleuo gan y tân, a byddai'n rhoi'r byd i gyd yn grwn i gredu geiriau Tad-cu.

PENNOD
UN DEG CHWECH

Roedd Gracie wedi bod yn eistedd ar ei gwely bob nos am wythnos gyfan yn meddwl am eiriau Marty. Weithiau byddai hi'n symud at y ffenest a gwylio Marty a'i dad-cu yn gweithio yn y rhandir. Roedd hi'n ysu i fynd draw atyn nhw. Sylweddolai'n iawn nad oedd Marty wir yn credu beth ddwedodd e, ei fod e'n grac, ond roedd hi'n grac hefyd. Roedd wedi llwyddo i'w osgoi yn yr ysgol ac wedi diffodd y golau yn y tŷ er ei bod hi yno, rhag ofn y byddai Marty'n galw.

Heddiw, arhosodd tan i bawb adael yr ysgol – yr athrawon oedd yn gweithio'n hwyr a'r glanhawyr – a phan oedd yr ysgol yn wag eisteddodd ar y gwair a thynnu ei sgidiau a'i sanau.

Rhoddodd ei ffôn wrth y wal sibrwd a chaeodd ei llygaid. Canolbwyntio, ond doedd dim byd yn dod. Wel, efallai fod rhywbeth, ond roedd hi'n teimlo'n rhy flin tu fewn. Yn gwgu. Roedd hyn yn sioc iddi. Agorodd ei llygaid ac yna'u cau, a thrio eto. Gwrandawodd. Arhosodd i'w breichiau a'i choesau gael eu harwain gan y gerddoriaeth, ond ddigwyddodd dim byd. Agorodd ei llygaid. Roedd hi'n gandryll!

Cerddodd adre. Yr holl ffordd. Ei thraed yn stompio ar y pafin nes iddi gyrraedd y tŷ a chau'r drws yn glep. Roedd hi wedi bod drwy amseroedd caled o'r blaen, wrth gwrs. Ac wedi cael ei brifo gan bethau roedd pobol wedi eu dweud. Ond roedd hi'n teimlo fel ffŵl. Yn teimlo cywilydd. Am ei bod wedi dangos yr ochr yma ohoni ei hun i Marty ac roedd e wedi ei daflu'n ôl yn ei hwyneb.

'Jiw, Gracie, ti'n iawn?'

Llais ei thad. Doedd hi ddim wedi disgwyl iddo fod adre.

'Ti'n edrych fel taset ti eisie lladd rhywun...'

Roedd e'n sefyll yno, wedi'i wisgo mewn crys glân a jîns, yn amlwg ar ei ffordd am noson mas.

'Dyw e ddim yn ddoniol, Dad.'

Dechreuodd fynd i fyny'r grisiau, o'i ffordd.

'Gracie? Be sy'n bod?'

Trodd yn ôl i'w wynebu.

'Dim byd, ocê? Dwi'n iawn. Dwi erioed wedi bod yn well.'

Meddyliodd am eiliad y byddai'n dweud popeth wrtho. Roedd hi wir eisiau siarad yn iawn ag e weithiau. Ond doedd hi ddim yn gwybod ble i ddechrau gyda'r llanast yma.

'Galli di siarad â fi unrhyw bryd, cofia.'

'Alla i?'

Edrychodd braidd yn siomedig a cherddodd tuag ati.

'Wrth gwrs, bach. Ti'n edrych mor drist.'

Roedd Gracie *yn* teimlo'n drist. Wedi blino ac yn flin ac yn teimlo fel lembo. Roedd ei thad yn syllu arni.

'Wel...' dechreuodd Gracie.

'Wel be?' gofynnodd. Ac yna canodd ffôn ei thad. Edrychodd Gracie arno'n crynu ar y bwrdd, gan obeithio na fyddai e'n ateb. Ond ei godi wnaeth e. Meddyliodd Gracie y byddai'n edrych ar y rhif ac yna'n rhoi'r ffôn i lawr. Ond na. Edrychai wedi ei gynhyrfu, ac yna'n euog.

'Sdim ots gyda ti os ateba i hwn, oes e?' meddai.

Gwyliodd Gracie ei thad yn dechrau siarad busnes â rhywun oedd yn ddieithr iddi. Ciciodd ei hesgidiau oddi ar ei thraed a mynd lan llofft i'w stafell wely. Erbyn i'w thad ddod i chwilio amdani wedyn, roedd hi wedi cloi ei hunan yn y stafell molchi a rhedeg y dŵr, fel y byddai e'n meddwl ei bod hi'n cael bath. Eisteddodd ar ymyl y twba yn aros iddo adael ac yna, trwy ei thraed noeth, teimlodd ddirgryniadau drws y ffrynt yn cau.

PENNOD UN DEG SAITH

Aeth wythnosau heibio. Roedd hi'n fis Gorffennaf erbyn hyn ac roedd y bwmpen wedi stopio tyfu. Byddai'n cael ei bwydo'n rheolaidd â'r te a'i dyfrhau sawl gwaith y dydd, ond er hyn i gyd doedd ei bol styfnig ddim yn chwyddo. Roedd hi wedi tyfu o faint pêl-droed i faint pêl traeth fawr, ond dim mwy na hynny. Roedd hi fel petai wedi dweud wrthi hi ei hun, 'dyna ni, dyna ddigon o dyfu, diolch yn fawr'. Byddai Tad-cu yn ei mesur bob dydd gyda'r tâp mesur ond wrth weld nad oedd dim newid yn ei mesuriadau, tawelodd a mynd i'w gragen. Byddai Marty yn ei wylio heb allu cynnig unrhyw syniadau ond yna, fe wnaeth Tad-cu rywbeth rhyfedd. Rhywbeth rhyfedd iawn. Rhywbeth feddyliodd Marty na fyddai e byth yn ei wneud mewn miliwn o flynyddoedd. Trefnodd gyfarfod. Cyfarfod rhandir. Rhoddodd hen duniau paent fan hyn a fan draw i bobol eistedd arnyn nhw, a chynnau tân. Gosododd hen ddarn o gardfwrdd i sefyll yn erbyn y Tröwr Te 300. Ar y cardfwrdd roedd wedi hongian y map oedd yn arfer bod ar wal y sied. Doedd dim syniad gan Marty beth oedd ei fwriad.

Cyrhaeddodd Sadiq a John, y ddynes o randir rhif 7 doedd neb yn gwybod ei henw, Colin y dyn llaeth ac ambell un arall. Roedd pawb yn sibrwd ymysg ei gilydd, yn pendroni beth yn y byd oedd yn mynd ymlaen, pan darodd Tad-cu hen fwced tun gyda llwy fawr a galw am dawelwch. Cliriodd ei wddw, ac am unwaith yn ei fywyd gwelodd Marty dinc o ansicrwydd yn llygaid ei dad-cu. Aeth Marty i eistedd ar bwys y bwmpen.

'Reit, bobol, dwi wedi galw'r cyfarfod cyfrinachol yma oherwydd dwi a Marty eisie, wel, *angen* eich help.'

Edrychodd pawb ar ei gilydd.

'Dwi wedi trio popeth ond dwi'n ffaelu'n deg â chael y bwmpen i dyfu'n fwy...'

Crafodd John ei ben.

'Chi wedi galw cyfarfod er mwyn i ni roi tips ar sut i dyfu pwmpen!'

'Ydw,' cyfaddefodd Tad-cu, gan dynnu ar ei goler

oherwydd teimlai'n chwyslyd yn sydyn iawn. 'Am un rheswm penodol…'

Ac yna aeth ymlaen i ddweud *popeth* wrthyn nhw. Am y bwmpen a'r cynllun, Paris, y cyfan. Doedd Marty ddim yn gallu credu ei fod wedi mynd yn syth ati a dweud y cwbwl. Roedd elfen o risg yn hyn, siarad mor agored ac mor wirion. Roedd yr holl beth yn wallgo.

'Bydd y bwmpen yn ffres am bedwar diwrnod. Chi'n gwbod cystal â fi bod pwmpenni Calan Gaeaf yn gallu para oesoedd,' meddai Tad-cu. Tynnodd hen lyfr *Amseroedd y Llanw* o boced ei grys a dechrau edrych trwyddo.

'Dwi wedi gweithio popeth mas. Mae 'na fwlch o bedwar diwrnod ddiwedd Awst. Os wnawn ni adael fan hyn ar y 27ain o Awst, bydd y llanw o'n plaid ni i fynd draw ac i ddod 'nôl.'

Roedd ei ddwylo'n crynu wrth iddo roi'r llyfr bach yn ôl yn ei boced, ac wrth ymestyn erial hir roedd wedi ei dynnu o hen radio i'w lawn hyd a'i ddefnyddio i bwyntio at y map.

'Os gallwn ni gael y bwmpen i borthladd Southampton, mae 127 o filltiroedd môr wedyn i gyrraedd Le Havre yng ngogledd Ffrainc.'

Dilynodd llygaid pawb yr erial ar y map ar draws y darn gwag glas o fôr rhwng Lloegr a Ffrainc.

'Dwi'n gobeithio bydd yr injan yn gallu mynd ffwl pelt ar gyflymder o 25 not a gyda gwynt da y tu ôl i ni ma hynna'n...' crychodd wyneb Tad-cu wrth iddo drio gwneud y swm.

'Pump awr...' awgrymodd Colin.

'Yn hollol. Pump awr.' Roedd Marty'n synhwyro bod Tad-cu yn dechrau cyffroi erbyn hyn. Edrychodd arno'n nodi'r rhifau ar y map gyda phensil wedi'i gnoi a dynnodd o'r tu ôl i'w glust. 'Rhyw bellter bach pifflyd, digon hawdd! Aros yn Le Havre am noson... a bwm! Bore wedyn, hwylio ar hyd afon Seine...'

Crafodd Sadiq ei ben. Roedd Marty'n gallu gweld bod y cwmni wedi drysu wrth iddyn nhw drio deall y cynllun anhygoel.

'Ar hyd y Seine?' holodd Sadiq.

Edrychodd Tad-cu ar Sadiq fel petai ganddo ddau ben.

'Wrth gwrs!' atebodd. Roedd popeth yn swnio mor hawdd a didrafferth i Tad-cu. 'Hwylio ar y Seine. Rhyw 96 milltir. Dechrau peth cynta yn y bore. Mae'r Seine yn afon sydd â llanw iddi, felly bydd hi'n ein sgubo gyda'r llif i'r ddinas erbyn canol y bore.'

'I Baris?' gofynnodd Colin gan godi ei ben.

'Ie. Paris.'

Chwarddodd Marty.

'Gadewch i fi wneud yn siŵr 'mod i'n deall yn iawn, gyfeillion annwyl,' meddai Colin yn ofalus. 'Ry'ch chi'n mynd i dyfu'r bwmpen yn anferth, tynnu beth sydd tu fewn iddi, sticio hen injan arni, a hwylio'n hamddenol ynddi i ddinas Paris?'

Eisteddodd Tad-cu yn ôl a rhwbio'i fol yn llawn cyffro.

'Yn gwmws! Yr unig broblem yw fod y bwmpen wedi stopio tyfu. Ma rhaid iddi fod yn faint car mewn llai na chwech wythnos, ac ar hyn o bryd, mae hynny'n edrych yn llai a llai tebygol.'

Erbyn hyn roedd Colin yn edrych yn gyffrous o ddryslyd. Roedd cyffro Tad-cu yn dechrau cydio ym mhob un o'r garddwyr, a'u pennau a'u calonnau'n llenwi â'r syniad. Roedd y ddynes o randir rhif 7 wedi dechrau giglan a phawb yn gwenu'n wirion ar ei gilydd. Roedd stumog Marty'n glymau i gyd wrth aros i rywun ymateb.

'Wel, feddyliwn ni am rywbeth!' meddai Colin. 'Dyma'r peth gorau dwi wedi'i glywed ers sbel fawr!'

Gallai Marty fod wedi rhoi cusan iddo! Ac yna,

dechreuodd pawb glapio. Edrychodd Tad-cu ar Marty a rhoi winc.

Ar ôl i bob un gymryd tro i gael paned fach o de – doedd dim digon o fygiau i bawb – dyma nhw'n mynd at y tân i rannu syniadau.

'Ydych chi wedi trio plisgyn wyau?' holodd Sadiq.

Nodiodd Tad-cu.

'Cwrw?' holodd John.

'Do...'

Nawr fod pawb yn deall pa mor bwysig oedd tyfu'r bwmpen mor fawr â phosib, roedd pob un yn meddwl yn galed sut i wneud hynny. Roedd y te gwymon wedi helpu hyd at ryw bwynt ond roedd rhaid cael rhywbeth arall. Rhywbeth i roi ail fywyd iddi.

'Ydych chi wedi trio darllen iddi?' meddai llais bach y ddynes o randir rhif 7. 'Mae siarad â'u planhigion wedi gweithio i nifer o bobol.'

Siglodd Tad-cu ei ben.

'Hm, werth trio falle,' meddai, gan nodi'r syniad.

'Beth am ddom adar?' Colin oedd hwn.

'Mae gen i ddigon o ddom adar,' meddai'r ddynes o randir rhif 7.

Aeth Marty i gasglu'r cwpanau ac i wneud mwy o de. Doedd e erioed wedi gweld gymaint o gyffro yn y rhandir. Fel petai trydan yn yr aer. Rhyw deimlad o rannu antur fawr. Pawb wedi eu clymu'n un gan y cynllun a'r gyfrinach. Bob tro y meddyliai Marty am gynllun Tad-cu roedd ei stumog yn llawn pilipalas. Ei du mewn yn siffrwd i gyd. Roedd wedi arfer â thawelwch llonydd tŷ Mam ac roedd meddwl am fod allan ar y môr agored yn gwneud iddo deimlo'n chwil. Byddai wrth ei fodd petai Gracie yno, i rannu hyn. Dychmygai sôn amdano wrthi yn ei ben. Yr olwg ar ei hwyneb. Beth fyddai hi'n ddweud. Edrychodd draw ar ei thŷ – doedd dim bywyd i'w weld yno. Dim symudiad. Roedd Marty wedi meddwl am gant o ffyrdd gwahanol o ddweud sori, ond doedd dim un yn swnio'n iawn. Felly, yn y diwedd, dyma fe'n tynnu llun cwch ar ddarn o bapur, a nodi'r pellter i Baris a llun Tŵr Eiffel ac yna, oherwydd doedd dim syniad arall ganddo, aeth i chwilio am fag ysgol Gracie un amser cinio, rhoi'r darn o bapur ynddo a cherdded i ffwrdd. Ond aeth sawl diwrnod heibio a doedd e heb glywed gair ganddi.

Aeth i ferwi dŵr yn y tegell ac edrych ar y cwmni yn swatio wrth y tân, a dymunai â'i holl galon am weld Gracie yno hefyd.

PENNOD UN DEG WYTH

Roedd Sadiq wedi rhoi benthyg ei gasgen ddŵr i Tad-cu er mwyn cario dŵr i'r bwmpen yn haws. Roedd John Trinidad wedi bod yn lluchio rhyw bowdr hynod ar wreiddiau'r bwmpen ac wedi sefyll yno yn ei hannog i dyfu. Roedd y ddynes o randir rhif 7 wedi bod yn darllen barddoniaeth iddi, gan ddechrau gyda'r beirdd cynnar fel Taliesin a Dafydd ap Gwilym, cyn penderfynu y byddai rhywbeth mwy modern at ddant y bwmpen. Felly, aeth ymlaen i ddarllen cerddi T. Llew Jones, Myrddin ap Dafydd ac Anni Llŷn, ond doedd dim yn tycio. Roedd Colin y dyn llaeth wedi rhofio llwythi o ddom adar a'i daenu dros y bwmpen, gan groesi bysedd.

Aeth wythnos heibio a doedd dim symud ar faint y bwmpen.

Ond roedd Tad-cu, chwarae teg, yn trio cadw hwyliau pawb yn uchel a gan fod y tywydd yn hafaidd tynnodd y bwrdd bach sigledig allan o'r sied a dechrau tincran â'r hen injan allan yn yr awyr agored, tan fod ei ddwylo a'i ddillad yn olew i gyd. Fel petai'n trio cadw'r freuddwyd yn fyw drwy ddal ati i gynllunio. Roedd Marty wedi bod yn brysur yn dyfrhau a chwynnu a gwneud rhyw fân jobsys o gwmpas y lle. Edrychodd dros ysgwydd Tad-cu arno'n potsian â'r injan, a chwarddodd wrth iddo ei thanio a gadael cymylau o fwg du dros bob man nes gwneud i'r ddau beswch a thagu.

Roedd hi'n dechrau tywyllu – hoff adeg Marty o'r dydd yn y rhandir. Byddai'r gwenyn yn suo'n ddioglyd a gallech deimlo'r planhigion yn anadlu'n arafach. Popeth yn ymlacio. Byddai'r llygad y dydd yn cau eu petalau am y nos a'r blodau eraill yn rhyddhau eu persawr. Byddai'r golau'n meddalu, yn troi o felyn y dydd i liw eirin gwlanog, i las ac yna i las tywyll cyfoethog. Gwnaeth Marty de i'w dad-cu a chynnau'r tân. Gwyliodd y gwreichion yn tasgu am rai munudau.

Roedd wedi bod yn gwneud ei waith ysgol, fel yr awgrymodd Mr Garraway. Byddai Marty'n astudio rhywfaint yn y rhandir tra oedd ei dad-cu yn potsian. Roedd Colin y dyn llaeth wedi ei helpu gyda'r gwaith Maths, ac roedd Sadiq yn dda gyda ieithoedd. Cyflawnodd dipyn o fewn amser byr gan obeithio ei fod yn ddigon tan ddiwedd y tymor ysgol ymhen rhai wythnosau. Roedd y gwaith yn bwysicach iddo erbyn hyn. Roedd Mr Garraway wedi ei argyhoeddi ei fod e'n ddigon galluog, ac mai ei gyfrifoldeb e oedd gweld i ba gyfeiriad y gallai hynny ei arwain. Gwyliodd Marty'r fflamau'n cryfhau, gan daflu goleuni ambr dros y lle.

Wrth iddi dywyllu, edrychodd Marty ar y bwmpen. Roedd hi fel petai'n sgleinio yng ngolau'r tân. Tric y llygad oedd hynny wrth gwrs, ond roedd rhywbeth am ei chroen oren oedd fel petai ar dân. Fel petai wedi cael ei harllwys o wres ffwrnais chwilboeth. Cododd, a cherdded tuag at y bwmpen.

Byddai tyfu'r bwmpen i faint car erbyn diwedd yr haf yn dasg amhosib. Byddai'n rhaid iddi fod yn ddigon mawr i Marty a Tad-cu eistedd ynddi yn weddol gyfforddus, ac yn ddigon uchel i beidio gorwedd yn rhy isel yn y dŵr. Rhaid i'r croen fod yn ddigon trwchus i beidio gadael dŵr a thonnau'r môr i mewn iddi, a'r waliau yn ddigon cryf i wrthsefyll unrhyw dywydd garw. Tasg enfawr. Edrychodd ar y bwmpen, a'i chroen yn lliw oren dwfn rhyfeddol.

Eisteddodd yn llonydd am funud cyn tynnu'r model bach o Dŵr Eiffel o'i boced. Dim ond ychydig gentimetrau o uchder oedd e. Wedi ei wneud o fetel lliw arian ac wedi tolcio mewn sawl lle. Trodd ef yn ei ddwylo a'i weld yn disgleirio yn y golau cynnes. Teimlai mor gyfarwydd yn ei ddwylo. Gwyddai am bob ongl ohono. Pob cornel. Cafodd ei dad ei eni ym Mharis. Dyna un o'r ychydig bethau a wyddai Marty am ei dad. Roedd hi'n amhosib gwahanu'r ddau beth. Tŵr Eiffel a Dad. Cofiai ofyn i'w dad, pan oedd e'n fachgen bach, i ble byddai'r haul yn diflannu yn y nos, a faint o sêr oedd yn yr awyr, ond erbyn hyn ac yntau wedi tyfu, roedd ganddo gwestiynau gwahanol i'w gofyn. Trodd y model yn ei ddwylo eto, a meddwl am ei dad allan yn rhywle yn y byd mawr.

'Mae Tad-cu'n dweud byddwn ni'n hwylio ynddot ti,' sibrydodd wrth y bwmpen. 'Mae'n swnio'n hollol boncyrs, ond mae e'n dweud dy fod yn mynd i fynd â ni yr holl ffordd i Dŵr Eiffel.'

Clustfeiniodd Marty. Doedd dim sŵn heblaw clecian y tân a Tad-cu yn tacluso.

'Dwi'n gwbod bod e ddim yn wir, ond…' gwenodd Marty yn drist, '… mae un rhan fach ohona i'n dymuno o waelod calon ei fod e'n wir…'

Gwenodd Marty wên fach hiraethus. Roedd Tad-cu wedi gorffen potsian â'r injan, felly cododd Marty a cherdded draw ato i helpu i glirio am y nos. Roedd hi'n hwyr ac roedd hi'n bryd iddyn nhw fynd adre.

Y tu ôl iddo, gwichiodd y bwmpen. Ei chroen yn ddisglair yng ngolau'r tân. Cyrliodd y tendriliau wrth i'w bol crwn chwyddo a chwyno. Ymledu. Gwthio'i chanol allan. Tyfodd yn fwy ac yn fwy nes ei bod gymaint â theiar lorri. Erbyn i Tad-cu a Marty gau'r gât, roedd y bwmpen yn eistedd yn fawr ac ysblennydd fel machlud haul bendigedig ar y pridd cyfoethog.

PENNOD
UN DEG NAW

Doedd Marty ddim yn gallu credu ei lygaid. Safai Tad-cu wrth ei ymyl, wedi ei syfrdanu. Tynnodd ei het drilbi a chrafu ei ben.

'Beth yn y byd gafodd hon neithiwr?'

Gallai Marty deimlo ei galon yn curo'n galed, a'i geg yn sych.

'Sai'n siŵr… Dwi…' atebodd Marty.

'Ond mae wedi dyblu yn ei maint, dros nos!'

Edrychodd Marty arno mewn penbleth.

'Ym… ym… ychydig o de… fel dwedest ti… a…'

Roedd ochrau'r bwmpen yn gorlifo dros y gwely pridd. Fel pen-ôl anferth ar sêt trên.

'Ond… ond dyw e ddim yn neud sens!' Roedd llygaid Tad-cu yn agored led y pen. 'Wel, ti'n gwbod… mae'r te wedi helpu, a'r bananas, a'r pi-pi…'

'Fflipin ec, Tad-cu. Pi-pi oedd e?'

'Wrth gwrs mai pi-pi oedd e!' meddai Tad-cu yn ddi-hid, 'ond dwi erioed wedi clywed am bwmpen yn dyblu yn ei maint dros nos.'

Twriodd Marty yn ei feddwl.

'Gath hi de a wedyn…' Ceisiodd gofio. Cofiodd feddwl am Gracie. Cofiodd siarad â'r bwmpen… dweud ei fod yn dymuno… syrthiodd ei geg ar agor. Edrychodd Tad-cu arno.

'Be? Be, Marty?' holodd yn wyllt.

'O'n i'n siarad â hi… a…'

Teimlai Marty'n wan. Roedd e'n teimlo'n rhyfedd bob tro roedd yn agos i'r bwmpen. Teimlo pethau. Teimlo ei hegni. Teimlai rywbeth yn crynu y tu fewn iddo. Teimlai'n fyw…

'Be, Marty? Dwed.'

'O'n i'n siarad â hi… a…'

Doedd e ddim yn bosib, ond rywffordd roedd Marty'n gwybod ei fod e'n wir. A dechreuodd redeg fel y gwynt.

'Marty!' Gallai glywed Tad-cu yn gweiddi arno, a gwaeddodd Marty dros ei ysgwydd,

'Bydda i'n ôl mewn dwy funud!'

Rhedodd ar draws y rhandiroedd, neidio dros rwydi a ffensys a phlanhigion, a gallai glywed pobol yn gweiddi 'Oi! Be ti'n neud?' a 'Marty, ti sy 'na?' Rhedodd mewn un llinell syth at dŷ Gracie a neidio dros y clawdd, yna aeth ar ras ar hyd y llwybr concrit gan weddïo bod Gracie adre. Agorodd y drws a rhedeg i mewn.

'Gracie? GRACIE?!'

Adleisiodd ei lais drwy'r cyntedd teilsiog.

'Gracie? Ti yma?'

Clywodd sŵn traed ac yna gwelodd Gracie yn dod i lawr y grisiau. Stopiodd hi hanner ffordd i lawr. Syllodd arno'n sefyll yna, ei sgidiau mwdlyd yn gwneud llanast ar y llawr glân.

'Rhaid i ti ddod nawr...'

'Beth yn y byd ti'n neud, Marty?'

Roedd Marty'n anadlu'n drwm.

'Dere... Plis dere gyda fi...'

Siglodd Gracie ei phen.

'Dwi ddim yn siarad â ti, ti'n cofio?' meddai, gan groesi ei breichiau.

'Drycha, dwi wedi dy ypsetio di, dwi'n gwbod. O'n

156

i'n gas, dwi'n gwbod. Ond sdim ots am hynna nawr. Plis dere?'

Roedd Gracie rhwng dau feddwl. Doedd hi erioed wedi ei weld fel hyn o'r blaen. Ei fochau'n fflamgoch a'i lygaid yn sgleinio. Doedd hi erioed wedi ei weld mor llawn egni. Estynnodd ei law iddi.

'Dere...'

Yn ddiarwybod iddi hi ei hun bron, gwisgodd Gracie ei sgidiau a'i ddilyn allan drwy'r drws agored.

Rhedodd ar ei ôl nes cyrraedd y rhandir lle roedd Tad-cu yn dal i rythu ar y bwmpen anferthol ac yn crafu ei ben.

'Siarad â hi,' meddai Marty, allan o wynt. Edrychodd Gracie arno'n syn.

'Be?'

'Dwed wrthi... beth yw dy freuddwyd...'

'Ti'n nyts? Ti wedi colli dy farbls go iawn?'

'Na, gwranda.' Roedd Marty yn hollol o ddifri. 'Rhaid i ti ddweud wrthi... dy ddymuniad... dy freuddwyd... Dwi ddim yn nabod neb sydd â breuddwyd fwy na ti.'

Roedd Tad-cu hefyd yn ddryslyd erbyn hyn. Edrychodd Marty ar Gracie. Aros iddi ddweud rhywbeth.

'Jyst dwed...'

Siglodd Gracie ei phen.

'Na,' meddai.

'Gracie, plis. Dwed wrthi am y gystadleuaeth. Am dy freuddwyd di i fod yn ddawnswraig.'

Roedd Gracie yn edrych yn bryderus.

'Dyw e ddim yn mynd i ddigwydd. Dyna ddwedest ti… jyst breuddwyd wirion oedd hi.'

Tro Marty oedd hi i siglo'i ben wedyn. 'O'n i'n anghywir, Gracie. Mor, mor anghywir. Wrth gwrs ei fod e'n bosib…' Cerddodd ati a chydio yn ei dwy law. 'Byddi di'n ddawnswraig anhygoel. Fe wnei di ennill y gystadleuaeth yn hawdd a… dwi a Tad-cu'n mynd i hwylio i Baris yn y bwmpen…'

Syllodd Gracie arno. Roedd ei wyneb yn disgleirio.

'Rhaid i ti drystio fi! Jyst dwed wrthi. Creda. Dwi'n addo… gei di weld!'

Roedd rhywbeth yn ei lygaid a wnaeth i Gracie nodio'i phen. Trodd, nodio eto a cherdded tuag at y bwmpen. Edrychodd yn ôl dros ei hysgwydd ar Marty a Tad-cu. Llyncodd yn galed. Roedd y bwmpen yn eistedd yno, yn grwn a hardd yn yr haul.

'Dwi… Dwi'n dymuno bod yn ddawnswraig…'

Roedd ei llais yn dawel. Edrychodd Marty yn ofalus. Dim symudiad.

'Dwi'n dymuno bod yn ddawnswraig. Dwi'n dymuno dawnsio yn y gystadleuaeth,' meddai eto ac yna'n sydyn teimlodd yn wirion. Yn hunanymwybodol. Yn siarad â phwmpen mewn rhandir.

'Mae hyn yn stiwpid! Sdim byd yn digwydd!' gwaeddodd Gracie.

Siglodd Marty ei ben mewn siom. Doedd dim byd yn digwydd. Dim byd. Roedd y bwmpen yn ddisymud. Cwympodd ei wep. Roedd Gracie'n edrych arno yn llawn penbleth a chywilydd.

'Sai'n gallu credu bod ti wedi gofyn i fi neud hynna.' Roedd hi ar fin crio pan ddaeth sŵn ochenaid fawr y tu ôl iddi.

Edrychodd Marty ar y bwmpen. Sŵn gwich. Trodd Gracie yn araf i wynebu'r bwmpen. Cryndod, ac un arall. Roedd hi'n tyfu. O flaen eu llygaid. Yn chwyddo. Yn tewhau. Estynnodd Tad-cu am ei het drilbi a'i thynnu i ffwrdd yn araf bach i ddangos parch. Dyma nhw'n ei gwylio'n bochio. Yn anadlu. Yn lledaenu. Syllodd pawb ac aros, ac yna, gyda chryndod a chrecian, fe stopiodd.

Astudiodd Tad-cu'r bwmpen mewn syndod. Ceisiodd ddweud rhywbeth. Ond ddaeth dim byd o'i geg. Ceisiodd eto. O'r diwedd, daeth y geiriau o rywle…

'Dwi erioed, yn fy mywyd, wedi gweld unrhyw beth mor wirioneddol ryfeddol ac anhygoel o wych!'

Chwarddodd Marty. A chwerthin a chwerthin. Neidiodd ar ei draed a ŵp-ŵpio dros y lle!

'Mae'n gallu'n clywed ni!' gwaeddodd.

Dechreuodd Gracie a Marty a Tad-cu ddawnsio law yn llaw ac eisteddodd y bwmpen yn y pridd yn gwrando a thyfu a gwybod.

Ar ôl gorffen dawnsio, sythodd Tad-cu ei wasgod a sôn wrth Gracie am y cynllun. Edrychodd Marty ar ei hymateb, gan sylweddoli pa mor boncyrs oedd e. Ers dechrau cynllunio'r daith roedd e wir wedi bod eisiau dweud wrth ei fam, ond roedd dweud wrth Gracie yn ail agos.

'Felly,' meddai Tad-cu yn obeithiol, 'be ti'n feddwl?'

Edrychodd Gracie arno. 'Dwi'n meddwl ei fod e'n hollol, gwbwl wallgo o boncyrs!'

Gwenodd Tad-cu o glust i glust.

'Ti gyda ni?'

Syllodd Marty arni.

'Dwi gyda chi gant y cant, bois!'

'Ha-ha!' meddai Tad-cu yn hapus. 'O'n i'n gwbod byddet ti! Mae'r injan bron yn barod, felly does dim ond angen cerfio lle iddi ar waelod y bwmpen ar ôl i ni wagio'r cnawd i gyd, ei gwasgu i mewn a llenwi'r bylchau gyda'r ffôm. Stwff anhygoel. Bydd angen mast wrth gwrs – mae yna hen goes ymbarél yma yn rhywle. A bydd angen hwyl. A siacedi achub…'

'Mae siacedi achub gyda Dad yn y garej,' meddai Gracie. 'Dechreuodd e hwylio dingi unwaith.'

'Gwych!' ebychodd Tad-cu. 'Gwych iawn. Bydd hi'n daith bedwar diwrnod – un i gyrraedd Le Havre, un ar hyd y Seine i Baris a dau i deithio 'nôl. Felly bydd angen bwyd, dŵr…'

'A ffôn? Galla i ddod â'n ffôn i,' meddai Gracie.

Nodiodd Tad-cu, yn amlwg yn hoff o'i ffordd hi o feddwl.

'Bagiau plastig i gadw popeth yn sych…'

'A bwced, rhag ofn bydd dŵr yn dod i mewn,' awgrymodd Gracie.

'Good thinking, Batman!' cytunodd Tad-cu.

'Pryd ma hyn yn digwydd?' gofynnodd Gracie.

Sugnodd Tad-cu aer rhwng ei ddannedd. 'Wel, ma rhaid i'r bwmpen dyfu…'

'Ond nawr ni'n gwbod *shwt* mae'n tyfu…' torrodd Marty ar ei draws.

'Ydyn, ond bydd rhaid cael lot fawr o freuddwydion a dymuniadau,' atebodd Tad-cu.

'Ble allwn ni ffeindio rheini?' gofynnodd Marty.

Rhoddodd Tad-cu ei ddwylo ar ysgwyddau Marty. 'Ma pobol y dre 'ma, maen nhw'n llawn breuddwydion. Pethau maen nhw eisie ac yn dymuno.' Edrychodd i fyw llygaid Marty. 'Os gallwn ni ddod â nhw fan hyn, a gwneud iddi dyfu… ni ar ein ffordd!'

'Ond pryd?' gofynnodd Gracie eto.

'Y 27ain o Awst! Noda fe yn dy ddyddiadur, 'merch i!'

'Ond ma clyweliad gyda fi ym Mryste ar y 26ain,' meddai.

'Galli di fynd i Fryste a 'nôl mewn diwrnod. Dim problem, felly!' atebodd Tad-cu gan wenu. 'A bydd e'n dda i ti gael hwnnw mas o'r ffordd cyn dechrau'r antur fawr.'

Nodiodd Gracie, gan syllu ar wyneb Tad-cu oedd yn canolbwyntio'n llwyr.

'Dau ddiwrnod yna a dau ddiwrnod yn ôl a byddwn ni adre ar...'

'... ben-blwydd Mam,' meddai Marty yn sydyn.

Gwenodd Tad-cu eto. 'Wel, dyna dda. Y 30ain? Wrth gwrs. Gweithio mas yn berffaith.'

Gwyliodd Marty ei dad-cu yn clapio'i ddwylo.

'Be sy angen yw defnydd ar gyfer yr hwyl...' meddai Tad-cu yn freuddwydiol.

Doedd dim clem gan Gracie ble oedd cael gafael ar hwyl.

'W, dwi'n gwbod ble mae defnydd,' meddai Marty, 'a digon o raff.'

Roedd e'n gwybod yn union ble allai ddod o hyd i ddefnydd addas a thorch o raff wen – roedd rhai yn yr hen beiriant golchi yn yr ardd, wrth ffenest y stafell gefn.

Ond roedd hynny'n golygu bod rhaid iddo fynd adre...

PENNOD DAU DDEG

Roedd Gracie wedi gofyn tua dau gant chwe deg pedwar o gwestiynau i Mr Philpott, yr athro Daearyddiaeth, am y llanw a'r môr-lwybrau. Roedd Mr Philpott wrth ei fodd bod rhywun yn dangos diddordeb oherwydd, fel arfer, byddai pawb yn hanner cysgu yn ei wersi. Gan ei bod hi'n ddiwrnod ola'r tymor cyn gwyliau'r haf roedd e wedi dod â gêm Bingo Prifddinasoedd i'w chwarae. Ond roedd y plant eraill i gyd yn falch bod Gracie yn mynd â sylw'r athro fel eu bod nhw'n gallu meddwl am eu cynlluniau dros y gwyliau.

Roedd Marty a Gracie wedi cael y llyfrgell i gyd iddyn nhw eu hunain amser cinio ac wedi bod yn ymchwilio ar gyfrifiadur yr ysgol. Cyn belled â bod y cwch-bwmpen yn dal dŵr, roedd pob hawl ganddyn nhw i groesi, yn ôl y gyfraith. Gwenodd y ddau ar ei gilydd wrth ddarllen hyn a gan fod gwers rydd ganddyn nhw ar ôl cinio, arhoson nhw yn y llyfrgell wag am awr arall.

Mewn erthygl arall, fe ddysgon nhw y gallai rhwbio saim hwyaden ar waelod y bwmpen ei gwarchod hi rhag halen y môr. Ac roedden nhw'n falch iawn o wybod nad oedd siarcod yn llysieuwyr, felly doedd dim siawns y byddai rhai'n ymosod arnyn nhw yng nghanol y môr, diolch byth. Roedd siarad am yr antur yn dod â'r peth yn fwy real rywsut. Eisteddodd y ddau yn y llyfrgell eang, yn meddwl yn galed. Eu meddyliau'n troi.

'Ti'n mynd i ddweud wrth dy fam?' gofynnodd Gracie, gan gnoi ei gwefus isaf, ddim eisiau ymyrryd go iawn.

Siglodd Marty ei ben.

'Dwi wedi bod yn meddwl falle ddylen i… ond… pa wahaniaeth fydde hynny'n neud? Bydda i gyda Tad-cu…'

'Digon teg.'

'Beth am dy dad di?' holodd Marty. Edrychodd Gracie i lawr.

'Sai'n gwbod. Mae'n siŵr bydd rhaid i fi. Bydd hi'n amser

gwyliau, felly alla i ddim esgus mynd ar drip ysgol na dim byd.'

'Ti eisie i Tad-cu siarad ag e?'

Chwarddodd Gracie.

'Na, dim diolch!' Cododd ei hysgwyddau. 'Feddylia i am rywbeth. Yn agosach at yr amser...'

Eisteddodd y ddau mewn tawelwch am funud.

'Ti mor lwcus...' meddai Gracie.

Byddai Marty yn gallu meddwl am nifer o eiriau i ddisgrifio'i hun, ond doedd 'lwcus' ddim yn un ohonyn nhw.

'Ti'n meddwl?'

'Dy deulu di, dy'n nhw ddim yn boring...'

Chwarddodd Marty yn uchel.

'Na, ti'n iawn fan'na!'

'Ond ti ddim yn sylweddoli pa mor lwcus wyt ti... dyw'n rhieni i, wel, dy'n nhw...' ac aeth llais Gracie yn ddim.

Cwympodd wyneb Marty. Roedd e'n gweld y boen yn ei llygaid.

'Roedd Mam a Dad wedi gorfod ymladd gymaint drosta i pan o'n i'n fach... doctoriaid... therapi lleferydd... Dyna'r unig beth oedd gan y ddau yn gyffredin, yn eu cadw nhw

166

gyda'i gilydd. Erbyn i fi dyfu'n hŷn a gwneud pethau drosta i fy hunan, ro'n nhw'n sylweddoli bod pethau ddim yn iawn rhyngddyn nhw... a do'n nhw ddim yn siarad yn iawn â fi chwaith... ac aeth popeth yn dawel...'

Gwrandawodd Marty.

'Dwi... jyst yn gweld eu heisie nhw...'

Aeth y tawelwch yn dawelach fyth.

'Yn gweld eisie'r ddau ohonyn nhw.'

'Dwi'n gweld eisie Dad weithiau hefyd,' cyfaddefodd Marty, 'er 'mod i ddim yn ei nabod e...'

'A dwi'n gweld eisie Dad hefyd, er 'mod i'n byw dan yr un to ag e!'

Gwenodd y ddau yn drist ar ei gilydd.

'Ga i ofyn... ond sdim rhaid i ti ateb,' meddai Gracie, 'pam Paris? Pam ti wastad wedi bod eisie mynd yna?'

Llithrodd Marty ei law i'w boced, a gwneud yn siŵr fod y model yn dal yna, fel y gwnâi sawl gwaith y dydd.

'Cafodd Dad ei fagu yna,' esboniodd. 'Roedd e'n arfer dweud storïau wrtha i am y lle, pa mor anhygoel oedd e...'

'Ac ydy e dal yna?' Edrychodd Gracie arno'n ofalus. Ceisiodd Marty osgoi ei llygaid.

'Sai'n gwbod,' meddai.

'Dychmyga bo' ni'n ei weld e! Pa mor cŵl fydde hynny?'

Gwenodd Marty a thrio esgus nad oedd e wedi meddwl am hynny...

'Sai'n gwbod...' meddai Marty eto, ac eisteddodd y ddau'n dawel, yn ymwybodol o sŵn y plant tu allan ar yr iard. 'Ond dwi'n gwbod un peth. Mae dy dad di'n colli mas. Ar dy ddawnsio di. Ti'n mynd i lwyddo yn y clyweliad 'ma a wedyn byddi di a fi a Tad-cu yn hwylio mewn pwmpen i Baris, os mai 'na'r peth dwetha 'nawn ni!'

Gwenodd Gracie arno.

'Dwi'n hoffi'r agwedd newydd 'ma sy gyda ti...' meddai hi.

'Ti'n gwbod be?' meddai Marty. 'Dwi'n credu 'mod i hefyd!'

Rhuthrodd y plant yn swnllyd drwy gatiau'r ysgol. Roedd rhyw egni trydanol yn perthyn i chwe chant o blant yn cael eu rhyddhau am chwe wythnos o wyliau. Roedd yn drwch yn yr aer. Gwyliai Marty eu hwynebau wrth iddo ddatglymu ei feic. Byddai ambell blentyn lwcus yn cael mam yn dod â phicnic i roi dechrau da i'r gwyliau, ac yn cerdded i'r parc i chwarae pêl. Byddai rhieni rhai plant cyfoethog yn aros yn eu cerbydau 4x4 yn barod i yrru i'r maes awyr. Bydden nhw'n gorwedd ar draeth ym Mhortiwgal erbyn y bore wedyn. Yna, roedd y plant fyddai'n cael eu casglu gan eu neiniau a'u teidiau, a fyddai'n wynebu chwe wythnos o gael eu cludo fan hyn a fan draw gan fod eu rhieni'n gorfod gweithio am fod eu bòs ddim yn gadael iddyn nhw newid eu patrwm gwaith. Ac wedyn roedd plant fel Marty, gyda'r olaf i adael yr ysgol. Yn gwybod bod y chwe wythnos nesa'n mynd i fod yn, wel, yn anodd. Yn ddiflas. Yn llwglyd. Dim trefn. Dim byd i edrych ymlaen ato. Dyma'r tro cyntaf i Marty beidio teimlo fel hynny, ac roedd ei galon yn gwaedu dros y rhai fyddai'n wynebu wythnosau o ddiflastod.

Roedd Gracie'n aros amdano wrth y gatiau a dyma nhw'n cerdded i gyfeiriad y rhandir gyda'i gilydd. Clywodd Marty sŵn beiciau y tu ôl iddyn nhw. Rhoddodd bwt i Gracie a rholiodd hi ei llygaid wrth weld rhai o'r criw-treinyrs-newydd yn eu dilyn.

'Paid cymryd sylw,' sibrydodd hi.

'Oi! Stinci!'

'Jyst gad ni fod, Gerry,' meddai Marty dros ei ysgwydd.

'Mynd i rywle neis dros yr haf?'

Anwybyddodd Marty e. Petai e ond yn gwybod!

'Ti a hi'n mynd i fod yn snogan?'

Cochodd Marty hyd at ei glustiau. Gobeithiai nad oedd Gracie wedi clywed hynna.

'Gad ni fod...' meddai Marty eto.

'Neu be?'

Dyna beth oedd i'w ddisgwyl. Roedd wastad 'neu be?' gyda phlant fel hyn.

Snapiodd rhywbeth yn Marty. Trodd at Gerry.

'Neu fe ddweda i wrth dy ffrindie bach di shwt o't ti'n llefen fel babi ym mreichiau Mami ar ôl i fi daro ti...'

Chwarddodd rhai o'r plant eraill. Tro Gerry oedd hi i gochi nawr. Wedyn roedd yr aer yn llawn tensiwn. Doedd Marty ddim yn gwybod beth ddigwyddai nesa ond roedd rhaid iddo sefyll ei dir.

'Ie, *whatever*,' meddai Gerry o'r diwedd, gan wyro ei ben i'r ochr. Wedyn rhythodd ar Marty â golwg sbeitlyd ar ei wyneb. 'Dwi wedi clywed am dy hobi bach newydd di... yn y rhandir...'

Roedd hyn yn syndod i Marty, ond wedyn mae'n bosib fod Gerry wedi ei weld yn cerdded yn ôl ac ymlaen i'r rhandir bob dydd.

'Wel?'

'Swnio'n *smashing…*' meddai Gerry, â rhyw hanner gwên slei.

Ac roedd rhywbeth yn y ffordd ddwedodd e'r gair 'smashing' wnaeth oeri gwaed Marty.

'Beth wedest ti?'

'Dim byd.' Gwenodd yn gam a gwthio heibio Marty a Gracie, a dilynodd y lleill. Poerodd un ohonyn nhw snot gwlyb ar dreinyr Marty.

Edrychodd arnyn nhw'n mynd.

'Maen nhw'n gwbod am y bwmpen…' meddai Marty.

Roedd Gracie yn poeni hefyd. 'Shwt?'

Cododd Marty ei ysgwyddau. Rhaid bod pobol wedi dechrau siarad amdani.

'Dim bob dydd mae rhywun yn tyfu pwmpen mor fawr, am wn i…'

Roedd meddwl am rywbeth yn digwydd i'r bwmpen yn gwneud iddo deimlo'n sâl.

'Dere,' meddai Gracie. 'I ddweud wrth Tad-cu.'

PENNOD
DAU DDEG UN

Gan ei bod hi'n wyliau'r haf roedd Marty wedi penderfynu cysgu yn sied y rhandir mewn sach gysgu, i gadw llygad ar y bwmpen. Weithiau byddai Tad-cu'n cysgu yno hefyd, os nad oedd ei gefn yn brifo gormod. Bob nos, cyn mynd i gysgu, byddai'n anfon signal at Gracie gyda golau ei dortsh i ddangos ei fod e'n iawn. A byddai Gracie yn fflachio golau o'i thortsh hi yn ôl. Cysgai'n dda drwy'r nos gan ei fod allan yn yr awyr iach drwy'r dydd yn yr ardd. Ond weithiau byddai'n deffro mewn chwys oer gan feddwl ei fod yn clywed y criw-treinyrs-newydd tu allan. Ceisiodd Gracie ei argyhoeddi eu bod nhw wedi anghofio'r holl fusnes gan

ei bod hi'n wyliau haf a'u bod, mwy na thebyg, wedi symud ymlaen i wneud bywyd plentyn arall yn ddiflas.

Roedd y bwmpen erbyn hyn yn aaaanferthol. Roedd yn llenwi'r gwely pridd i'r ymylon ac roedd Tad-cu wedi gorfod adeiladu rhyw fath o sgaffold bren o'i chwmpas. Roedd Tad-cu wedi bod yn sibrwd ei holl ddymuniadau iddi, a'r ddynes o randir rhif 7 hefyd. Roedd Sadiq wedi cael gair bach â hi, ac roedd John Trinidad wedi bod yn siarad â hi am oriau. Yr unig un oedd ddim wedi gwneud ei ddymuniad eto oedd Colin y dyn llaeth. Gyda phob dymuniad roedd y bwmpen yn chwyddo, yn grwn ac yn dew, yn lympiau a bympiau ar hyd ei gwaelod. Roedd hi'n olygfa werth ei gweld.

Ac wrth i'r bwmpen dyfu'n fwy, roedd y diddordeb ynddi yn tyfu hefyd. Byddai pobol yn dod i ymweld â hi. Ar y dechrau, dim ond ambell un fyddai'n stopio i dynnu llun a syllu'n gegrwth, ond yn fuan daeth mwy a mwy o bobol i wybod amdani. Roedd Tad-cu wedi eu gweld yn dod, un ar ôl y llall, ac wedi rhoi bwced wrth y gât er mwyn codi tâl o 50c ar bob un. Byddai'r arian yn handi i brynu nwyddau ar gyfer y daith i Baris.

Un diwrnod, daeth dyn bach nerfus i'r rhandir, mewn cot law lwyd, gyda chamera'n hongian o gwmpas ei wddw a beiro y tu ôl i'w glust. Safodd yno, yn edrych ar y bwmpen, a'i ddwylo ar ei gluniau.

'Shw mae,' meddai Tad-cu.

'Bore da, syr,' atebodd. 'Eich pwmpen chi yw hon?'

Tynnodd Tad-cu ei het ac edrych ar y dyn am eiliad. Cyn ateb, 'Falle...'

Roedd Tad-cu wedi bod mewn dyled ariannol i nifer o bobol dros y blynyddoedd, felly roedd e braidd yn gyndyn o roi ei enw i unrhyw un dieithr.

Gwenodd y dyn. 'Gavin Reading, y *Welsh Post*,' meddai.

Tynnodd gerdyn o boced ei got a'i ddangos i Tad-cu. Roedd Marty wrthi'n pigo pys a'u plisgo o'r pod, a'u popio i'w geg fel Smarties. Symudodd yn nes er mwyn gwrando.

'Hoffwn i neud erthygl fach. Yn y papur. Dim byd mawr. Llun o'r bwmpen a chi, os ydy hynny'n iawn?'

Gwyrodd Tad-cu ei ben i'r ochr. 'Falle, os ydy'r pris yn iawn...'

Chwarddodd y dyn. 'Dim ond papur lleol ydyn ni...'

Dechreuodd Tad-cu gerdded yn ôl am y sied, gan droi ei gefn ar y dyn.

'Ie, iawn... ocê, mêt!' gwaeddodd y dyn. 'Dwi'n siŵr gallwn ni sbario cwpwl o bunnoedd...'

Gwenodd Tad-cu, a wincio ar Marty cyn troi.

'… yn enwedig os gallwch chi rannu ambell gyfrinach…'
Roedd y dyn yn crafu ei ben. 'Dwedwch wrtha i, sut mae hi
wedi tyfu mor fawr?'

'Aaa!' meddai Tad-cu. 'Mae honno'n gyfrinach fawr…'

Edrychai'r dyn yn chwilfrydig iawn. 'Chi'n gweld, mae'n
darllenwyr ni'n hoffi cael gwybod y cyfrinachau… i gyd…'

Roedd Marty'n dal i blisgo pys pan ddaeth Gracie ato.

'Be sy'n digwydd?' meddai.

'Ma'r meistr wrth ei waith!' sibrydodd Marty.

'Plis, dewch i'r swyddfa…' meddai Tad-cu, gan bwyntio
at ei sied. Winciodd ar Marty a Gracie eto cyn dilyn y dyn
i mewn.

Sleifiodd y ddau i wrando wrth y ffenest gilagored yng
nghefn y sied.

'Be ma fe'n neud?' sibrydodd Gracie.

'Troi'r dŵr i'w felin ei hun!'

Gwrandawodd Marty yn astud. Gwasgodd ei glust yn
erbyn y gwydr a chlywed Tad-cu'n dweud wrth y dyn fod
y bwmpen wir yn bwmpen ddymuniadau. Roedd hi'n tyfu
oherwydd breuddwydion pobol. Roedd Marty'n gallu hanner
gweld y dyn yn sgriblo'n gyflym yn ei bad papur. Roedd y

dyn wedi ei swyno gymaint ag oedd Miss James ar y Noson Rieni.

Erbyn i'r dyn adael roedd wedi cytuno i dalu canpunt i Tad-cu am y stori, a thynnodd lun o'r tri wrth ochr y bwmpen.

'Diolch o galon i chi am hyn...' meddai'r newyddiadurwr yn falch, fel petai wedi cael sgŵp fwya'r ganrif.

'Wel, diolch i chi...' gwenodd Tad-cu.

'O, gyda llaw,' meddai'r dyn wedyn, wrth roi'r beiro yn ôl tu ôl i'w glust, 'beth y'ch chi'n mynd i'w wneud â hi ar ôl iddi stopio tyfu? Pei pwmpen? Cawl pwmpen?'

'A-ha!' meddai Tad-cu, gan gerdded ato a rhoi ei ddwy law ar ei ysgwyddau. 'Dyna'r cwestiwn mawr...'

Edrychai'r dyn yn nerfus eto wrth i Tad-cu ei hebrwng at y gât.

'Mae rhywbeth mawr ar droed. Rhywbeth arbennig iawn. Rhywbeth i chwalu'ch pen!'

Roedd y dyn yn crynu gan gyffro, a'r gobaith o gael dyrchafiad gan ei fòs.

'Dewch 'nôl fan hyn yn gynnar ar y 27ain o Awst ac fe alla i addo i chi stori a fydd yn ysgwyd y byd i gyd!'

Roedd y dyn yn nodio'n gyflym, wedi ei syfrdanu.

'Iawn…'

'A chofiwch ddod â'r camera!'

'Iawn!'

Bu bron iddo syrthio allan drwy'r gât oherwydd roedd yn dal i rythu ar wyneb Tad-cu, fel cyw bach wedi ei swyno gan fwydyn ym mhig y dadi aderyn.

'Cymerwch ofal nawr!' gwaeddodd Tad-cu.

Nodiodd y newyddiadurwr eto, a bant ag e.

PENNOD
DAU DDEG DAU

'Drycha ar hwn!'

Taenodd Gracie y papur newydd allan ar y bwrdd yn y sied. Sugnodd Tad-cu aer rhwng ei ddannedd a chwerthin llond ei fol.

'Ffantastig!'

Roedd y bwmpen yn edrych yn enfawr yn y llun – roedd yr ongl yn gwneud iddi edrych yn anferthol.

Gwenodd Marty a chroesodd ei feddwl am eiliad y byddai ei fam yn gweld yr erthygl. Doedd papur newydd ddim fel arfer yn cael ei bostio drwy ddrws y tŷ, ond tybed a fyddai rhywun yn dweud wrthi am y llun? Wedi'r cyfan, doedd Marty ERIOED wedi bod yn y papur newydd o'r blaen.

Roedd y ddynes o randir rhif 7 yn arfer bod yn fydwraig mewn ysbyty, fel mae'n digwydd. Felly cafodd Tad-cu fenthyg stethosgop ganddi, a bob bore byddai'n gwrando ar du fewn y bwmpen. Nid bod ganddi guriad calon na dim byd fel'na, ond gallai Tad-cu glywed y sudd a'r hylif i gyd yn troelli y tu mewn iddi. Pan fyddai'r sŵn yna'n stopio byddai'r bwmpen yn barod i'w phigo. Wel, y math o bigo oedd yn golygu ei bod hi'n amser i fenthyg y cleddyf seremonïol Japaneaidd o wal y Llew Coch a hollti'r coesyn trwchus oedd yn ei chlymu i'r planhigyn.

Ar ôl gweld y llun yn y papur, daeth MWY o bobol i weld y bwmpen. Roedd hi bron fel cerflun enwog, neu ryw leoliad crefyddol pwysig, lle roedd rhaid i bawb ymweld unwaith yn ystod eu bywyd. Roedd Gracie a Tad-cu wedi bod yn y Pound Shop i brynu cwpanau papur ac roedden nhw'n gwerthu te a choffi am 50c. Roedd yr erthygl yn y papur wedi gweithio i'r dim, ac roedd pawb eisiau sibrwd eu dymuniadau a'u breuddwydion wrth y bwmpen. Mwyaf o bobol oedd yn dod, mwyaf roedd hi'n tyfu, fel petai rhywun wir yn gwrando ar eu dymuniadau am y tro cyntaf erioed.

'Ti'n iawn, Marty?'

Roedd Marty'n methu credu ei lygaid. Roedd yn adnabod

un neu ddau o'r bobol a ddaeth i weld y bwmpen ond cafodd sioc o weld Mr Garraway yno.

'Iawn diolch, syr,' atebodd, yn llawn embaras.

'Reit dda,' meddai. 'Ble dwi'n rhoi'r 50c?'

Dangosodd Marty'r bwced iddo, a gwenu wrth weld Mr Garraway yn cylchu'r bwmpen ac yn sibrwd rhywbeth dan ei anadl.

Y noson gynt, wrth orwedd yn y sied yn gwrando ar Tad-cu'n chwyrnu, roedd Marty wedi bod yn pendroni pam roedd y bwmpen yn denu cymaint o bobol. Roedd pawb fel petaen nhw wedi cael eu swyno gan natur, yn methu credu sut roedd rhywbeth mor hudolus a rhyfeddol ac enfawr yn gallu bodoli go iawn. Roedd Marty ei hun yn methu credu weithiau chwaith. Byddai'n deffro a mynd i edrych drwy'r ffenest a dyna lle roedd hi, yn sgleinio'n arian dan y lloer. Eu cwch-bwmpen benigamp, yn barod i gael ei gwthio i'r môr ar ei thaith gyntaf oll. Byddai plant yn chwerthin wrth ei gweld, a dynion yn gegrwth. Roedd hi'n rhywbeth anghyffredin yn eu bywydau bach cyffredin bob dydd. Roedd Marty hyd yn oed wedi gofyn i Tad-cu beth petai hi'n tyfu'n rhy llawn o ddymuniadau ac yn ffrwydro, ond roedd Tad-cu wedi siglo ei ben yn ddoeth a'i sicrhau nad oedd unrhyw beth nac unrhyw un yn medru bod yn rhy lawn o freuddwydion.

Roedd Tad-cu'n gwrando ar du fewn y bwmpen gyda'r stethosgop a gwaeddodd ar Gracie a Marty.

'Mae bron yn barod, chi'n gwbod...'

Roedd Gracie wedi dod â'r siacedi achub i'r sied ac roedd yr injan a'r ffôm yno'n barod hefyd. Roedd Tad-cu wedi benthyg y cleddyf seremonïol o wal y dafarn lawr llawr, felly roedd e'n barod i wneud y torri. Roedd holl arian y dymuniadau a'r te a choffi a gasglwyd wedi talu am nwyddau i fynd ar y daith. Doedd dim i'w wneud ond aros.

Marty oedd yr unig un oedd heb ddod â'r deunydd roedd e wedi'i addo – y rhaff a'r defnydd ar gyfer yr hwyl. Roedd e wedi meddwl mynd adre sawl gwaith i'w nôl nhw. Roedd e'n gwybod yn union ble roedden nhw. Doedd dim rhaid iddo fynd i mewn i'r tŷ hyd yn oed, ond roedd e'n gohirio'r ymweliad bob tro. Byddai gweld ei fam yn rhy boenus iddo, a gallai fod yn sicr y byddai hi yno drwy'r dydd, bob dydd.

Rhoddodd Tad-cu y stethosgop i Marty, a gwasgodd ben y stethosgop ar y bwmpen a gwrando. Wwsh, wwsh. Wwsh!

'Mae'n fyw!'

Chwarddodd Tad-cu. 'Wrth gwrs!'

Daeth Gracie'n agosach a dechreuodd Marty dapio rhythm y bwmpen ar ei chefn fel ei bod hi'n gallu ei deimlo hefyd. Gwenodd Gracie.

Y noson honno, eisteddodd Marty a Tad-cu o gwmpas y tân yn gwylio Gracie yn dawnsio. Roedd y clyweliad ymhen rhai diwrnodau – y diwrnod cyn iddyn nhw hwylio. Roedd hi wedi mynd i'w chragen rhywfaint yn ddiweddar ac roedd Marty'n gwybod bod y gystadleuaeth ar ei meddwl tipyn.

'Ffones i dy fam, Marty,' meddai Tad-cu.

Tasgodd ei lygaid i gyfeiriad Tad-cu.

'Pam?'

'Jyst i weld oedd hi'n iawn...'

Doedd Marty ddim eisiau gofyn a oedd hi, er ei fod yn ysu i gael gwybod.

'Dwi'n gwbod bod ti'n meddwl 'mod i'n galed arni...'

Syllodd Marty ar y fflamau.

'Dwi wedi trio, ti'n gwbod, dros y blynyddoedd. Pan o't ti'n fach... O'n i'n meddwl taw 'mai i oedd e rywffordd. Taw fi wnaeth hi fel'na. 'Mod i wedi ei magu'n anghywir.'

Meddyliodd Marty am hyn, ac am yr ail waith gwelodd ansicrwydd yn llygaid ei dad-cu.

'Na,' meddai Marty yn bendant. 'Salwch yw e... dyna mae'r doctoriaid wedi dweud...' Roedd geiriau'r doctoriaid wedi aros gyda Marty. Cododd ei ysgwyddau. 'Sai'n gwbod, mae 'mhen i'n brifo jyst wrth feddwl amdani weithiau.'

'Ond mae mor browd ohonot ti, 'machgen i...'

Cnodd Marty ei wefus.

'Wedi tyfu lan! Ar ddechrau dy daith.'

Gwenodd Marty.

'A drycha arna i! Yn hen ddyn...'

'Ti ddim yn hen!' meddai Marty, gan edrych yn ddifrifol ar ei dad-cu. 'Ti'n hen iawn!'

Chwarddodd Tad-cu o grombil ei fol ac edrychodd i fyny ar y sêr am eiliad.

'Ti'n gwbod...' Oedodd. 'Ro'n i'n arfer dychmygu shwt deimlad fydde bod yn hen...'

Astudiodd Marty ei wyneb. Y cysgodion yn crynu arno yn y tywyllwch.

'Shwt ma fe'n teimlo?'

Cododd Tad-cu ei ysgwyddau.

'Sai'n gwbod wir. Dwi'n teimlo'n gwmws fel o'n i'n grwtyn ifanc, jyst bod rhaid codi dair gwaith bob nos nawr i bi-pi!'

Chwarddodd Marty.

'Reit, well i fi gael fy *beauty sleep*!' meddai Tad-cu, gan godi.

Roedd Tad-cu'n mynd yn ôl i'r fflat ac roedd Gracie yn aros gyda Marty yn y sied. Roedd wedi dweud wrth ei thad ei bod yn cysgu yn nhŷ ffrind – oedd yn hanner gwir. Gwyliodd Marty ei dad-cu yn codi'n drafferthus a brwsio ei drowsus gyda'i law cyn cerdded ar hyd y llwybr i'r fflat.

Edrychodd Marty ar Gracie yn ymarfer ei dawnsio a gwnaeth addewid iddo'i hun. Pan fyddai e'n hen, fyddai yntau ddim yn gadael iddo'i hun deimlo'n hen chwaith.

PENNOD
DAU DDEG TRI

Doedd dim iws sibrwd unrhyw beth wrth Gracie – roedd hi'n tynnu ei chymorth clyw i ffwrdd yn y nos – felly rhoddodd bwt iddi. Gwnaeth sŵn ochneidio wrth ddeffro ond gwasgodd Marty ei fys dros ei geg i arwyddo iddi fod yn dawel. Gallai weld ei llygaid mawr yng ngolau'r lleuad. Pwyntiodd tu allan i'r sied a dweud heb sŵn,

'*Mae rhywun 'ma!*'

Gwrandawodd eto. Cododd yn gyflym. Gwnaeth Gracie'r un peth. Roedden nhw'n cysgu yn eu dillad gan ei bod hi'n gallu bod yn oer yn y sied drwy'r nos. Sleifiodd y ddau allan a chlywodd Marty leisiau ar ochr arall y rhandiroedd. Cododd

Gracie ei llawes a gweld ar ei watsh ei bod hi'n dri o'r gloch y bore.

Tynnodd Marty hi tu ôl i'r sied. Y criw-treinyrs-newydd oedd yno, roedd e'n siŵr. Daeth y lleisiau a'r chwerthin yn nes, a chafodd ambell air ei gario ar y gwynt...

'Pwy ma fe'n feddwl yw e? Yn dangos ei hun...'

'Cael ei lun yn y papur a meddwl bod e'n seléb.'

Ie, nhw oedden nhw. Dechreuodd calon Marty rasio. Roedd e wedi hanner disgwyl hyn, ond ddwy funud yn ôl roedd e'n cysgu'n drwm ac roedd cael ei ddeffro ganol nos gan leisiau yn gwneud iddo deimlo'n chwil. Fel petai mewn breuddwyd.

Clywodd gât y rhandir yn gwichian. Roedden nhw'n barod ar gyfer hyn. Wedi paratoi. Ond nawr ei fod yn digwydd roedd gan Marty draed oer – mewn mwy nag un ffordd. Pwtiodd Gracie ei fraich a symud ei gwefusau'n fud: *'Be sy'n digwydd?'*

'Maen nhw ar y llwybr...'

Roedd hi'n dywyll ac yn anodd i Gracie allu darllen ei wefusau.

Roedden nhw wedi gosod system o drapiau, ac yn gwybod beth i'w wneud – roedd y trefniadau wedi eu paratoi'n ofalus. Cripiodd Marty at ochr y sied a phlygu i nôl darn o raff o'r llawr. Arhosodd Gracie yr ochr arall i gadw llygad ar y bechgyn. Yna, pan oedden nhw hanner ffordd ar hyd y llwybr, cododd hi ddau fawd ar Marty. Tynnodd Marty ar y rhaff oedd wedi ei chysylltu â darn o weiren ar draws y llwybr. Roedd y weiren yn denau, yn anweledig, fel llinyn gitâr.

Roedd eiliad a hanner o dawelwch ac yna cwympodd yr un cyntaf, THWMP! A syrthiodd yr ail un dros gorff y cyntaf. WAAA! Ac un arall. SBLAT!

Pipiodd Marty rownd ochr y sied a gweld pentwr o goesau a breichiau yn cicio a chwifio'n wyllt. Ceisiodd beidio giglan.

'Cer off! Cer off fi!'

'Be ti'n neud, idiot?! Watsia ble ti'n mynd!'

'Dim fi oedd e! *Fe* nath!'

Cododd Marty ddau fawd ar Gracie wedyn. Roedd tri ohonyn nhw, os oedd Marty'n gweld yn iawn yn y golau gwan. Edrychodd arnyn nhw'n codi, yn datglymu eu hunain a dechrau gwthio ei gilydd, pob un yn beio'r llall.

'C'mon!' meddai Gerry. 'Ni'n gallu neud hyn. Rhoi cwpwl

o gics i'r bwmpen a dyna ni… Ddangoswn ni iddyn nhw a'r bwmpen stiwpid…'

Culhaodd llygaid Marty. Roedd y criw yn afiach. Yn hollol ffiaidd. Gwyliodd nhw'n cerdded yn agosach at y sied. Er yr holl brafado roedd Marty'n siŵr eu bod nhw'n edrych braidd yn ansicr. Fel petai ofn arnyn nhw fod allan yn y tywyllwch. Gwenodd. Roedd hyn yn mynd i fod yn hwyl. Roedd gan Marty arf dirgel tu ôl i'r sied. Set o glychau gwynt y ddynes o randir rhif 7. Cydiodd yn y clychau a chwythu. Atseiniodd sain iasoer o gwmpas y rhandir. Stopiodd y bechgyn yn stond.

'Beth oedd hwnna?'

Gwrandawon nhw'n astud am funud.

'Dim byd.'

Chwythodd Marty eto a chrynodd y clychau gwynt yn awel y nos.

'Dyna fe!'

'Ysbryd!'

'Paid bod yn dwp!'

'Glywes i fe!'

'Ti'n stiwpid neu be? Sdim ysbrydion i ga'l, reit!'

'Dim sŵn normal oedd hwnna…'

Llyncodd Marty ei chwerthin. Roedden nhw ar bigau'r drain erbyn hyn. Ond ar gyfer cam nesaf y cynllun roedd rhaid i'r tri fynd yn agos at y bwmpen. Gosododd Marty y clychau gwynt yn ofalus ar y llawr a gwyliodd y bechgyn yn cerdded yn agosach. Dechreuodd ei wddw dynhau. Roedd e'n gwybod beth oedd y bechgyn yn bwriadu ei wneud i'r bwmpen ond er mwyn i'r cynllun weithio roedd rhaid amseru hyn yn berffaith. Jyst digon agos...

'Woooow!' ebychodd un, ei lais yn bownsio oddi ar y bwmpen. 'Drychwch pa mor fawr yw hi!'

Roedd pawb yn rhyfeddu wrth weld y bwmpen, hyd yn oed y rhai twp, meddyliodd Marty. Cafodd gic gan Gracie, a bwyntiodd am i fyny a dweud heb smic o sŵn... *'Ar ôl tri.'*

Aeth y bechgyn yn agosach fesul cam. Ac yn agosach. Eu treinyrs gwyn yn sgleinio yng ngolau'r lleuad.

'Mae hyn yn mynd i fod yn ffab!' giglodd Gerry yn wirion. 'Barod?'

Nodiodd Marty ar Gracie a chodi ei fysedd... 1, 2 a 3. Tynnodd Gracie'n galed ar y tsiaen oedd yn hongian o dop y sied, a hedfanodd bwced o hen donic pysgod marw o goeden gerllaw, troi ben i waered a gwasgaru'r cynnwys i gyd dros y tri bachgen.

'Fflipin ec!' sgrechiodd un.

'Be ddigwyddodd?'

Roedd ceg Gerry ar agor mewn sioc ac roedd wedi cael llond ceg o stwff pysgodlyd, drewllyd, ych-a-fi-llyd. Roedd yn dabio'i dafod gyda'i ddwylo brwnt, oedd yn gwneud pethau'n waeth.

'O mam bach! BETH YW HWNNA?'

'Ych, ma fe'n stincan!'

'Dewch, bois. Mas o 'ma!'

'NAWR!'

Tynnodd Marty tsiaen arall a WWWSHSH, hedfanodd bwced arall drwy awyr y nos a thaflu te gwymon seimllyd drostyn nhw.

'Mae'r lle 'ma'n *haunted*!' sgrechiodd un wrth iddo gwympo'n glewt ar ei ben-ôl. Dyma'r tri yn llithro a gwingo ar y slwj, yn methu'n deg â sefyll. Yna, fel un wobr fach ychwanegol, rhyddhaodd Gracie lond bwced o hylif danadl poethion drewllyd.

'WAAAAAA!' Doedden nhw ddim yn gwybod lle i droi! Roedd Marty a Gracie yn piffian chwerthin, gan ddal yn dynn yn ochr y sied.

Roedd y tri yn edrych fel bwystfilod y gors. Yn ddu a

gwyrdd, a'u breichiau a'u coesau'n chwifio i bob cyfeiriad,
gan wneud y synau mwyaf dychrynllyd. Pan lwyddon nhw
i sefyll ar eu traed dyma nhw'n sgrialu a gwthio'u ffordd
tuag at y gât. Roedd un tric arall ar ôl gan Marty – braidd
yn ddiangen, ond roedd yn ychwanegu tinc bach artistig i'r
noson. Roedd un rhaff ar ôl, wedi ei chlymu i grât wrth y gât.
Yn y crât roedd ugain o golomennod y ddynes o randir rhif
7. Adar rasio hyfryd. Un plwc ar y rhaff a byddai'r adar yn
cael eu rhyddhau yn un ffluwch o blu a sŵn cŵan. Un plwc a
gwyddai Marty y byddai'r drws bach yn agor a WWSHSH,
bant â nhw. Edrychodd ar y bechgyn yn straffaglu tuag at y
gât, ac yna gwenodd ar Gracie...

PENNOD DAU DDEG PEDWAR

'Hei, Tad-cu! Ydy Marty 'ma?'

Sythodd Tad-cu ei gefn.

'Mae e wedi mynd i nôl rhai pethau…' a winciodd ar Gracie. Roedd hi'n pwyso ar yr hen ffens sigledig. Meddyliodd Tad-cu fod rhyw lonyddwch anghyffredin yn perthyn iddi heddiw.

'Ti ffansi neud dished o de i hen ddyn?' meddai, gan feddwl y byddai cael siarad rhywfaint yn ei helpu hi. Gwenodd Gracie yn gynnes.

'Ie, iawn…' atebodd. Aeth i droi'r tegell ymlaen a physgota am ddau fag te amheus yr olwg o waelod bag papur damp.

'Barod am fory? Mae'r amser wedi dod yn glou, on'd yw

e?' Roedd Tad-cu yn sychu ei ddwylo ar liain oedd bron mor frwnt â'i ddwylo, felly doedd dim llawer o bwynt.

'Dwi'n credu bo' fi...'

Edrychodd Tad-cu arni wrth iddi roi'r te iddo. Aeth y ddau â'u paneidiau allan o'r sied.

'Dwi'n dal y trên peth cynta bore fory...'

'Dyw dy dad ddim yn mynd â ti?'

Cododd Gracie ei hysgwyddau.

'Bydda i'n ôl nos yfory i gael noson dda o gwsg cyn hwylio.'

'Ti ddim yn swnio'n gyffrous iawn,' mentrodd Tad-cu, 'am y clyweliad?'

Edrychodd Gracie i ffwrdd. Roedd y te yn stemio yn ei chwpan.

'Ydw, ond... o, sai'n gwbod...'

Cododd ei llygaid, fel petai hi eisiau dweud rhywbeth, felly arhosodd Tad-cu yn dawel i roi amser iddi.

'Ni'n ocê. Dad a fi. Ond ddim fel ti a Marty chwaith.'

Roedd Tad-cu yn glustiau i gyd.

'Ers i Dad a Mam wahanu mae e wedi bod fel ceiliog heb ben. Dechrau busnes newydd. Trio gwneud rhywbeth drwy'r amser. Poeni am y dyfodol...'

Meddyliodd Tad-cu am hyn.

'Dwi ddim yn siarad ar ran pob dyn, cofia, ond weithiau ry'n ni'n euog o fethu siarad am bethau? Yr unig ffordd ry'n ni'n gallu dangos ein bod ni'n becso yw trwy wneud pethau.'

Edrychodd Gracie ar ei the. 'Dwi'n gwbod.'

Arhosodd Tad-cu am eiliad neu ddwy.

'Drycha, Gracie, fe wnes i lot o gamgymeriade gyda fy merch fach i. Dwi'n ei charu hi… yn fwy na'r byd i gyd. Ond bob tro ro'n i'n agor fy ngheg, ro'n i'n dweud y peth anghywir. Felly, wnes i stopio. Peidio siarad. Ac fe aeth popeth yn dawel.'

Oedodd Tad-cu. Doedd e ddim mor ddifrifol â hyn fel arfer.

'Dyna'r peth dwi wedi difaru fwya erioed.'

Clywodd Tad-cu leisiau yn y pellter. Ymwelwyr cyntaf y dydd yn dod i weld y bwmpen.

'Hi oedd, a hi *yw* fy merch fach i o hyd. Wastad wedi bod. A dyna fydd hi am byth. Ac mae hynna'n rhywbeth sbesial iawn.'

Roedd wyneb Gracie yn ddwys.

'Byddi di'n wych fory, ti'n gwbod hynna…'

Edrychai Gracie yn ansicr.

'Ac os byddi di'n methu ymlacio, jyst meddylia am be 'nest ti a Marty i'r bwlis 'na.'

Meddalodd wyneb Gracie a throi'n wên fawr.

'Reit, dwed wrth Marty wela i e ar ôl fory. Well i fi ddechre pacio…' Roedd hi ar fin gadael pan ddwedodd yn syn, 'Dwi ffaelu credu bod yr amser wedi dod… y clyweliad a'r trip… Ma lot yn digwydd.'

Gwenodd Tad-cu.

'Mae'n beth da i deimlo'n nerfus,' a rhoddodd winc iddi. 'Mae'n dangos dy fod di'n becso. Rheoli'r nerfau a'u troi nhw'n egni i chwythu eu socs bant!'

Ymlaciodd Gracie rhywfaint wrth i'r ddau godi gyda'i gilydd.

'Nawr, cer amdani a dere 'nôl i gael antur fwya dy fywyd!'

Yn sydyn, rhoddodd Gracie gwtsh iddo, cyn gadael fynd.

'Diolch, Tad-cu.'

'Croeso mawr, 'merch i.'

Nodiodd Tad-cu a'i gwylio hi'n gadael, cyn troi i edrych ar y rhes o bobol ddifrifol iawn oedd yn cerdded o gwmpas y bwmpen, yn sibrwd eu breuddwydion.

*

Roedd Marty wedi bod yn osgoi mynd adre mor hir ag y gallai cyn mynd i nôl y rhaff (hen lein ddillad roedd ei fam wedi dal ei gafael arni) a'r defnydd ar gyfer yr hwyl, ond allai e ddim gohirio mwy. Aeth i eistedd ar y swing yn y parc am sbel hyd yn oed, i fagu digon o blwc. Ac roedd hi'n hwyr yn y prynhawn erbyn iddo ddechrau cerdded tuag at dŷ ei fam.

Roedd yn teimlo'n od. Mynd 'nôl. Dim ond ychydig wythnosau oedd wedi mynd heibio, ond teimlai fel oes. Roedd wedi trio peidio meddwl am ei fam yn y tŷ ar ei phen ei hun. Yn eistedd yn yr un hen gadair. Pan oedd yn teimlo'i feddwl yn crwydro'n ôl i'r tŷ byddai'n ei dynnu'r ffordd arall. Roedd rhaid iddi hi wynebu ei sefyllfa, gwyddai Marty hynny, ac roedd e wedi rhoi lle ac amser iddi drio sortio pethau yn ei phen, tra oedd e wedi... wel, wedi mynd ymlaen â'i fywyd.

Trodd y gornel wrth y llwybr beicio a gwelodd y stad o bell. Doedd ganddo ddim cynllun. Doedd e ddim yn meddwl aros a siarad ond doedd e ddim yn gwybod sut byddai'n teimlo ar ôl ei gweld hi.

Camodd i'r ardd. Roedd yr un llanast yn llenwi'r lle.

Ceisiodd galedu ei galon. Llyncu pob teimlad fel na fyddai'n dangos unrhyw emosiwn. Roedd y drws cefn ar agor. Roedd e'n gwybod ble roedd y rhaff. Wedi cyrlio tu fewn i hen beiriant golchi yn yr ardd. Gwasgodd y botwm metel arno a thasgodd y drws ar agor. Roedd y rhaff y tu fewn.

Roedd y defnydd wrth ffenest y stafell gefn, wedi ei rolio dan shîten sinc. Straffaglodd ei ffordd at y ffenest. Trio bod yn dawel. Roedd hyn mor rhyfedd. Teimlai fel lleidr neu lofrudd yn prowlan. Symudodd y shîten sinc o'r ffordd a thynnu'r defnydd allan. Yna clywodd leisiau. Safodd, wedi rhewi, am funud. Roedd e'n sicr bod dau lais. Llais dyn, yn ogystal ag un ei fam. Rholiodd y defnydd dan ei gesail a gwasgu ei drwyn yn agosach at y ffenest.

Roedd ei fam y tu mewn, yn eistedd ar ei chadair. Edrychai'n deneuach rywffordd. A gyferbyn â hi, ar bentwr o bapurau newydd lle roedd Marty'n arfer eistedd, roedd dyn. Edrychodd arno'n ofalus. Ddim ei dad oedd e. Rhywun arall, ac roedd y ddau'n chwerthin. Doedd Marty heb ei chlywed hi'n chwerthin fel'na ers blynyddoedd. Roedden nhw'n yfed te, yn hapus, yn gyfforddus yng nghwmni ei gilydd. Fel petaen nhw'n ffrindiau da...

Edrychodd eto ar ei fam a meddwl bod rhywbeth yn

wahanol amdani. Nid y ffaith bod ei gwallt yn lân ac wedi ei glymu'n ôl na'r ffaith ei bod hi'n chwerthin, ond roedd hi fel petai'n ysgafnach. Symudodd Marty o'r ffenest. Ei galon yn suddo. Doedd e ddim eisiau cyfaddef, ond roedd e wedi meddwl y byddai ei fam wedi torri ei chalon chydig bach, bach ar ôl iddo adael. Gwrandawodd ar eu chwerthin eto cyn sleifio allan o'r ardd.

Cerddodd yn ôl i'r rhandir, y rhaff o gwmpas ei ysgwyddau a'r defnydd dan ei fraich. Roedd hi'n dechrau tywyllu erbyn iddo gyrraedd yn ôl. Roedd Tad-cu wedi dod â bwyd o'r fflat ac wedi paratoi swper wrth y tân. Sylwodd yn syth fod rhyw niwl o dawelwch wedi lapio o gwmpas Marty.

'Ti'n iawn?' holodd.

Cododd Marty ei ysgwyddau, gan drio ysgwyd sŵn giglan ei fam o'i ben.

'Ydw,' atebodd, ond doedd e ddim yn gallu twyllo Tad-cu.

Ar ôl swper eisteddodd y ddau mewn tawelwch. Gwisgodd Tad-cu hen sbectol ar ei drwyn ac estyn edau i Marty. Byddai'n rhaid iddo yntau roi'r edau drwy dwll y nodwydd gan fod hynny'n amhosib i lygaid gwael Tad-cu. Eisteddodd o dan y darn mawr o ddefnydd trwchus a gwnïodd y ddau

gyda'i gilydd. Gwthiai Tad-cu y nodwydd i lawr ac fe wthiai Marty hi'n ôl trwy'r defnydd. Gwyliodd Marty y nodwydd yn ymddangos ac yn diflannu, gan drio dychmygu beth oedd yn mynd i ddigwydd nesa.

PENNOD DAU DDEG PUMP

'Marty!… Dere mlân… cwyd!'

Ochneidiodd Marty a rhwbio ei lygaid. Roedd Tad-cu yn ei gwrcwd wrth ei ymyl yn ei siglo, a'r stethosgop o gwmpas ei wddw.

'Sdim sŵn. Yn y bwmpen. Mae'n barod! Mae'n llawn dop! Yn orlawn o ddymuniadau.'

'Be?!'

'Mae'n amser agor y biwti!'

Roedd cyffro Tad-cu yn byrlymu. Eisteddodd Marty i fyny yn ei wely, ei wallt fel bwgan brain wedi'i lusgo drwy'r drain.

'Wel,' meddai Tad-cu yn ddiamynedd, 'dere 'de! Ti'n sylweddoli faint o waith sy gyda ni?'

Hyd yn oed am wyth o'r gloch y bore, roedd pobol wedi dechrau ymgynnull yn yr ardd. Gwyliodd Marty nhw wrth iddo orffen ei de a brwsio'i ddannedd â'i fys. Roedd Sadiq a John Trinidad a Colin yno, wrth gwrs, ond roedd pobol dros y lle i gyd. Roedd pawb yn gwybod bod y bwmpen bron yn barod ac roedd y sïon rhyfeddaf ynglŷn â beth fyddai'n digwydd wedyn. Roedd Tad-cu yn mwynhau pob eiliad.

Aeth murmur drwy'r dorf. A chyffro wrth i Tad-cu bwyso hen ysgol ar ochr y bwmpen a dringo i'r top. Pawb yn tynnu lluniau neu'n gwneud fideos ar eu ffonau. Daliodd y ddau yn dynn yn y cleddyf seremonïol a dechrau hollti'r coesyn trwchus.

Clapiodd pawb.

Symudodd y bwmpen ddim un centimetr wrth gwrs – doedd hi ddim yn mynd i fownsio fel pêl ar ôl cael ei rhyddhau, a hithau'n pwyso tair tunnell! Roedd angen torri cylch yn y top, o gwmpas y lle roedd y coesyn yn sownd i'r llysieuyn, fel pwmpen Calan Gaeaf, a gwagio'r tu fewn. Ond roedd hyn ar raddfa dipyn mwy na phwmpen Calan Gaeaf.

Roedd croen y bwmpen hon mor drwchus, roedd hi'n

ymddangos fel petai'n amhosib torri trwyddo, ond dyna pam roedd Tad-cu wedi cael benthyg llif gadwyn bwerus Colin. Taflodd Tad-cu raff i lawr a chlymodd Colin y llif gadwyn wrthi, gan nad yw dringo ysgol yn cario llif gadwyn yn syniad da o gwbwl. Cymerodd Tad-cu'r llif, rhoi petrol ynddi a'i thanio. Mewiodd a rhuodd yn haul y bore.

Clapiodd pawb eto.

Roedd y toriad cyntaf yn anhygoel, ac roedd Marty'n drist nad oedd Gracie yno i rannu'r profiad. Roedd y bwmpen fel petai'n amsugno sŵn y llif ac yn gwneud i'w chorff enfawr ddirgrynu i gyd. Teimlai pawb y cyffro yn crynu yn eu boliau. Stopiodd Tad-cu am funud, er mwyn tynnu ei het a thorchi ei lewys. Torrodd a thorrodd, yn gadarn, gan bwyll bach, fel meddyg yn gwneud llawdriniaeth. Roedd e eisiau troi'r bwmpen yn rhywbeth rhyfeddol yn hytrach na'i brifo a'i niweidio. Ar ôl tipyn, diffoddodd y llif.

'Tafla'r rhaw lan, Colin!' gwaeddodd.

Gwnaeth Colin hynny. Llithrodd Tad-cu y rhaw i mewn i'r toriad a gwasgu ei droed arni yn galed i godi'r caead oddi ar y bwmpen. Roedd e'n chwysu chwartiau. Symudodd y bwmpen, ac yna ochneidio.

'C'mon, Tad-cu!'

'Mawredd, mae'n drwm!' meddai Tad-cu, allan o wynt yn lân.

Aeth Marty ato ac ychwanegu ei bwysau i'r rhaw a CRRRRAAAAC, daeth darn maint bwrdd crwn oddi ar dop y bwmpen. Roedd sawl pâr o ddwylo wedi dod i helpu i lithro'r caead i lawr i'r gwely pridd yr ochr arall.

Bloeddio a chlapio mawr eto.

Sychodd Tad-cu'r chwys ar ei dalcen ac edrychodd e a Marty ar du fewn y bwmpen am y tro cyntaf. Ebychodd Marty. Roedd yn anhygoel! Yn llawn dop o hadau. Hadau pwmpen enfawr, pob un o faint mango, pilenni fel llinynnau, a chnawd oren llachar. Roedd yn taflu golau euraidd ar wynebau'r ddau. Gallai Marty weld y rhyfeddod ar wyneb ei dad-cu, ac yn yr eiliad honno roedd yn caru Tad-cu yn fwy nag erioed. Edrychodd Tad-cu arno.

'Dere i dynnu'r hadau mas...'

Gofynnodd Tad-cu yn gwrtais i bawb adael tra'u bod nhw'n gwagio'r bwmpen a'u gwahodd yn ôl fore trannoeth, gan addo golygfa wefreiddiol. Roedd ambell un yn flin ond y rhan fwyaf yn ddigon hapus, gan gynnig helpu os oedd angen.

Ar ôl i bawb adael, ac i Marty a Tad-cu gael dished o

de, dechreuodd y gwaith o ddifri. Gan gydio mewn rhaw yr un, safodd y ddau ar dop y bwmpen a rhofio'r hadau allan a'u rhoi fesul cilo mewn bwcedi plastig. Ar ôl llenwi'r bwcedi i gyd, dyma nhw'n llenwi'r whilber, yna'r casgenni dŵr ac yna unrhyw beth gwag arall. Gweithiodd y ddau yn ddiwyd am oriau, ac yng ngwres canol dydd daeth y ddynes o randir rhif 7 â chinio iddyn nhw. Ac wedyn, dechreuodd y gwaith eto. Roedd hi'n anhygoel fod rhywbeth mor enfawr yn gallu cynhyrchu stôr ddiddiwedd bron o hadau newydd. Dechreuadau newydd. Roedd Tad-cu yn awyddus i'w storio a'u cadw'n ofalus.

Erbyn yr hwyr roedd pob hedyn wedi cael ei grafu allan, ac roedd y ddau'n sefyll yng ngwaelod y bwmpen. Wrth iddyn nhw fynd yn ddyfnach ac yn ddyfnach i mewn i grombil y bwmpen roedd eu lleisiau'n atseinio, a chwerthin Tad-cu yn adleisio o gwmpas ei waliau. Wedyn torrodd y ddau gylch yn ochr y bwmpen lle roedd Tad-cu wedi amcangyfrif y byddai llinell y dŵr. Roedden nhw wedi dyfalu mesuriad màs a chyfaint y bwmpen ac amcangyfrif ble roedd yr injan i fod. Yna, gwasgon nhw ffôm i chwyddo o gwmpas yr injan i'w chadw yn ei lle, a oedd fel petai'n gwneud y tric.

Gyda'r nos galwodd Sadiq â stiw iddyn nhw i swper.

Roedd e'n flasus iawn, a rhoddodd Sadiq help llaw iddyn nhw i glirio'r lle fel ei fod yn edrych yn daclus erbyn y bore.

Y ddau beth olaf i'w gwneud oedd gosod dwy styllen bren tu fewn i'r bwmpen fel bod lle i eistedd, a chodi hwylbren fel bod ganddyn nhw bŵer y gwynt petai'r injan yn torri. Dyma osod yr hwylbren rhwng y ddwy styllen a chodi'r hwyl arno i ffurfio triongl perffaith. Roedd Tad-cu'n un da am wneud clymau, ac erbyn i'r haul ddechrau machlud roedd popeth yn barod.

Eisteddodd y ddau, wedi blino'n llwyr. Roedd eu breichiau'n brifo. Eu cefnau'n boenus. Ond doedd yr un o'r ddau wedi bod yn hapusach erioed. Roedd y bwmpen yn fendigedig. Yn syfrdanol o hardd. Gwireddwyd breuddwyd. Syllodd Marty arni'n syn, ei hwyl yn chwifio'n falch yng ngolau'r lleuad.

'Ni'n hwylio fory,' meddai Tad-cu'n dawel bach.

Edrychodd Marty ar ei wyneb, a gallai weld y blinder yn ei lygaid am y tro cyntaf.

'Mae'n mynd i fod yn grêt!' meddai wedyn. 'Dangoswn ni i bawb!'

Taflodd Marty olwg i gyfeiriad tŷ Gracie.

'Oedd Gracie fod i ddod adre heno?' holodd Tad-cu, gan grafu ei ben.

Nodiodd Marty. A gwgodd Tad-cu.

'Rhaid bod rhywbeth wedi ei rhwystro,' meddai Marty. 'Dwi'n siŵr bydd hi yma yn y bore.'

Roedd Marty wedi syrthio i drwmgwsg bron yn syth, ond deffrodd yn sydyn wrth i'r oerfel ei daro. Cododd ac ymbalfalu o gwmpas y sied am sach gysgu Gracie. Lapiodd y sach o'i gwmpas, cyn sylweddoli nad oedd Tad-cu yn y sied.

'Tad-cu?' gwaeddodd i'r tywyllwch. Dim ateb.

Gwgodd Marty, a gorwedd i lawr eto. Roedd e siŵr o fod y tu allan yn gwneud rhyw baratoadau munud olaf. Caeodd ei lygaid. Roedd fory'n ddiwrnod mawr.

Edrychodd Tad-cu ar y tŷ a thynnu ei het drilbi. Roedd golau y tu fewn. Cliriodd ei wddw a chnocio'n ysgafn ar y drws. Clywodd draed ar deils y cyntedd.

Agorodd tad Gracie y drws a sbecian allan i'r tywyllwch. Doedd e'n amlwg ddim yn hapus i weld Tad-cu yno, yn y siaced arddio ddrewllyd a wisgai bob dydd.

'Ie? Beth y'ch *chi* eisie?' holodd yn flin.

'Chi yw tad Gracie?' meddai Tad-cu. 'Dwi'n meddwl dylen ni'n dau gael gair bach.'

�?ᏋNNOᎠ ᎠAU
ᎠᎠᏋᏳ CHWECH

Roedd y clyweliadau yn rhedeg yn hwyr. Roedd cymaint o bobol wedi ymgeisio, roedd rhes hir yn aros yn y cyntedd a thu allan i'r adeilad ac i lawr y stryd. Roedd Gracie'n methu credu. Roedd hi wedi gorfod aros y tu allan fwy neu lai drwy'r dydd ac yna, pan oedd bron ym mlaen y rhes, dyma nhw'n cau'r drws a dweud wrth bawb am ddod yn ôl y bore wedyn.

Ceisiodd Gracie eu perswadio, ond doedden nhw ddim yn gwrando. Byddai Tad-cu a Marty wedi agor y bwmpen heddiw ac roedd hi i fod i deithio adre er mwyn hwylio yn y bore. Roedd hi wedi anfon neges, ond roedd yr unig ffôn yn fflat Tad-cu, a bydden nhw'n cysgu yn y rhandir, felly doedd dim llawer o obaith iddyn nhw ei gweld. Roedd y trefnwyr wedi cynnig lle i aros i'r rhai oedd wedi dod o bell ac roedd Gracie wedi derbyn, gan ddweud bod ei thad gyda hi.

Ar ôl cyrraedd y gwesty rhad, tecstiodd ei thad i ddweud ei bod yn aros yn nhŷ Poppy, gan groesi ei bysedd na fyddai'n ffonio i tsiecio'i stori. Yna, roedd hi wedi gorwedd ar y gwely, a'i chalon yn torri. Roedd hi wir, wir eisiau cael lle yn yr ysgol ddawns. Wedi'r cyfan, roedd hi wedi gweithio mor galed, ond hefyd roedd hi wir, wir eisiau hwylio gyda Marty a Tad-cu.

Chysgodd hi ddim winc.

Yn y bore, cododd yn gynnar a mynd i sefyll yn y rhes eto ar gyfer y clyweliad, gan ddal i obeithio y byddai'n cyrraedd adre mewn pryd. Safodd yn ddiamynedd gyda'r merched eraill. Roedden nhw'n sgwrsio'n hapus braf, yn amlwg yn adnabod ei gilydd. Roedd eu gwalltiau wedi'u clymu'n dynn ar dop eu pennau ac roedden nhw'n gwisgo'r dillad cywir i gyd. Roedd Gracie wedi tynnu ei llaw drwy ei gwallt, a doedd e ddim wedi croesi ei meddwl i'w glymu'n ôl yn daclus. A doedd ei dillad hi, wel, ddim yn ddillad dawnsio go iawn.

O'r diwedd daeth tro Gracie. Aeth i sefyll ar ganol llawr y

stiwdio ddawns. Roedd pedwar beirniad yn eistedd y tu ôl i fwrdd, yn edrych arni. Cliriodd un ddynes ei gwddw.

'Pa ddawns fyddwch chi'n ei pherfformio, os gwelwch yn dda?'

Gwyliodd Gracie ei gwefusau'n ofalus.

'Wel,' meddai, gan edrych i'r ochr ac yna ar y llawr, ei llais yn gryg. 'Dawns dwi wedi ei chreu fy hun...'

Eisteddodd un o'r beirniaid yn ôl ei gadair, a golwg wedi diflasu arno.

'O ie?'

Nodiodd Gracie.

'Ac ers pryd ydych chi wedi bod yn dawnsio?' holodd dynes arall.

Gallai Gracie deimlo'i hun yn mynd yn boeth. Yn rhy boeth.

'Ym, sai'n siŵr. Ers 'mod i'n gallu anadlu, am wn i.'

'O, dwi'n gweld,' meddai'n sych.

Gwyliodd Gracie y beirniaid yn rhythu arni o'i chorun i'w sawdl.

'A...' meddai'r pedwerydd, 'sawl arholiad ydych chi wedi'i basio? Pa fath o ddawnsio ydych chi'n ei astudio – bale, modern, tap?'

Roedd Gracie wedi ofni'r cwestiwn yma. Edrychodd yn syth atyn nhw. Ceisio sefyll yn dal.

'Dim un. Hynny yw, dwi ddim wedi cael gwersi.'

Hyd yn oed o bell, gallai Gracie weld ael yn codi.

'Dim un o gwbwl?' Roedd llais y ddynes yn oer.

Gallai Gracie synhwyro'r merched yn y coridor yn gwrando. Roedd hi eisiau rhedeg. Eisiau cuddio. Roedd ei chorff yn boeth.

'A beth sydd wedi dylanwadu ar y darn?'

Oedodd Gracie. Roedd hi wedi meddwl am stori, wedi meddwl beth fyddai ei hateb i gwestiwn fel hyn, ond byddai'n gallu esbonio'n well gyda'i chorff nag mewn geiriau. Cododd ei hysgwyddau.

'Dwi ddim yn gwbod yn iawn. Mae'n ymwneud â synau...'

Roedd saib eto cyn i'r beirniad cyntaf ddweud,

'Iawn 'te. Gadewch i ni weld y ddawns.'

Nodiodd Gracie. Yn falch o gael rhoi stop ar yr holl siarad.

'Bydd eisiau'r gerddoriaeth yn uchel,' meddai, gan edrych ar y panel eto. Gwenodd y pedwar wrth sylwi ar y cymorth clyw yn ei chlust.

'Wrth gwrs.'

Rhedodd Gracie at un wal a thynnu ei sgidiau. Tynnodd ei chymorth clyw hefyd, cyn tynnu anadl fawr. Yna, rhedodd yn ôl i ganol y llawr. Gwyliodd pawb wrth iddi ganolbwyntio. Ei chorff yn ymlacio. Ac wrth i'r gerddoriaeth lenwi'r stafell, caeodd ei llygaid a chodi ar flaenau ei thraed. Ac arhosodd... ac aros... a gwrando am donnau'r gerddoriaeth i'w symud. Safodd yn stond... a dal ei hun fel ton ar fin cyrraedd ei hanterth cyn ffrwydro'n ewyn gwyn. Roedd hi'n hongian yn yr aer... yn gwbwl lonydd... ac yna, dechreuodd ddawnsio...

'Dwi wedi neud popeth yn anghywir, yn do?'

Neidiodd Gracie allan o'i chroen. Roedd ei chalon yn dal i bwmpio ar ôl y clyweliad, a'i hwyneb yn goch. Roedd hi newydd droi'r prosesydd ymlaen ac yn gwisgo'i sgidiau yn y coridor pan siaradodd ei thad.

'Sori, Gracie.'

Doedd Gracie wir ddim yn gallu credu ei llygaid.

'Yyy, ti ddim i fod yn y gwaith?'

'Siŵr o fod.'

'Pwy... beth... pwy ddwedodd?'

Gwenodd tad Gracie.

'Sdim ots am hynny nawr. Gyrres i yma neithiwr. Eistedd yn y car drwy'r nos. Ro'n i'n poeni'n ofnadwy...'

Doedd Gracie ddim yn gwybod beth i'w ddweud. Roedd hi'n dal ei hunan yn stiff, yn paratoi am y gosb oedd yn siŵr o ddod.

'Ydw i mewn trwbwl?'

Siglodd ei ben. 'Na.'

'Be? Go iawn?'

'Weles i ti'n dawnsio, Gracie.'

Teimlodd Gracie ei chalon yn plymio'n ddwfn.

'Roedd e mor hardd, a ti'n iawn…'

'Am be?'

'Ers i dy fam adael… dwi wedi bod yn trio ymdopi. Gwneud popeth yn iawn. Cadw'n brysur a…'

'A neud rhywbeth o hyd?' cynigiodd Gracie.

Nodiodd ei thad.

'Dwi'n gwbod,' meddai Gracie. Roedd e'n edrych mor flinedig. Wedi ymlâdd.

'Ond sdim rhaid i ti *neud* unrhyw beth… dim ond…' Cododd ei hysgwyddau a theimlo dagrau yn ei thagu. Safodd ei thad. Aeth ati a rhoi ei freichiau amdani.

'Dwi eisie i ti wbod nad o'n i byth yn dy amau di. O'n i'n gwbod pa mor dda o't ti. Gwbod bod ti'n gallu neud unrhyw beth. Ond o'n i rywffordd wedi anghofio bod gen ti dy syniadau dy hunan… Mae'r hen fyd 'ma'n gallu bod yn greulon.'

Sniffiodd Gracie. Doedd hi ddim yn gallu rhwystro'r

dagrau rhag rhedeg i lawr ei hwyneb erbyn hyn. Edrychodd i fyny ar ei thad.

'Mae'r hen fyd 'ma'n gallu bod yn grêt hefyd...'

Ac edrychodd ei thad i lawr ar ei ferch.

'Ydy, ti'n iawn... a falle 'mod i wedi anghofio hynny am ychydig...'

Rhoddodd gusan ar dop ei phen a safodd y ddau ynghlwm yn ei gilydd am amser hir.

'Ti'n drewi,' meddai ei thad ar ôl tipyn. 'Ti'n chwys i gyd!'

Chwarddodd Gracie a sefyll yn ôl. Rhwbiodd ei hwyneb gyda'i dwylo. Gwenodd y ddau ar ei gilydd.

'Dwi'n gwbod,' meddai Gracie.

'Felly be ti eisie neud nawr?'

'Wel...' meddai Gracie gan edrych ar ei watsh, 'dwi'n falch bod ti wedi gofyn hynna...'

PENNOD DAU DDEG SAITH

'BORE DAAAA! CERI BI-PI TU ÔL I'R RHIW BOB! GWISGA BANTS GLÂN!! BWYTA DY FRECWAST!!! RY'N NI'N HWYLIO HEEEDDIIII!!!'

Roedd Tad-cu yn bownsio. Agorodd Marty ei lygaid y mymryn lleiaf.

'Faint o'r gloch yw hi?'

Edrychodd Tad-cu ar ei watsh.

'Pedwar y bore... Dere! Lan â ti!'

Gallai Marty weld bod Tad-cu wedi adfywio trwyddo.

Roedd Colin, Sadiq a'r ddynes o randir rhif 7 yno yn barod. Roedd Tad-cu wedi coginio llwyth o wyau wedi'u sgramblo yn y ffreipan ar y tân agored ac roedd pawb yn bwyta'n awchus. Am hanner awr wedi pump cyrhaeddodd y newyddiadurwr main, ei lygaid yn twitsian, yn ysu i dynnu lluniau, fel hanner poblogaeth y dre. Roedd rhywun wedi anfon neges at ei ffrindiau ac roedd pob un o'i ffrindiau wedi anfon at eu ffrindiau nhw ac roedd y dorf yn anferth! Safai pawb yn eiddgar, yn synnu a rhyfeddu, yn syllu a dyfalu.

Wrth i'r haul godi'n uwch yn yr awyr, roedd y goleuni'n dangos y bwmpen ar ei gorau. Roedd hi'n llachar ac yn enfawr. Yn dwyn eich anadl. Crafodd y newyddiadurwr main ei ben, cyn i Tad-cu bwyso ysgol ar ochr y bwmpen a dringo i mewn iddi. Yna clapiodd ei ddwylo er mwyn cael sylw pawb.

'Roedd ganddon ni hedyn o syniad, un hedyn bychan bach. Yna, fe blannon ni'r hedyn ac edrych arno'n tyfu! Bobol, dyma'r cwch-bwmpen *HMS Hedyn*!!'

Ebychodd pawb fel un.

'Heddi, rydyn ni'n mynd i hwylio ar draws y Sianel yn y cwch yma.'

Roedd y gynulleidfa yn syn. Dechreuodd y newyddiadurwr main sgwennu nodiadau ffwl pelt. Roedd hyn yn sgŵp! Yn stori anferth! Sgŵp y ganrif! Petai'n gallu anfon rhai lluniau i'r wasg yn gyflym, gallai'r stori fod ym mhenawdau newyddion naw o'r gloch. Byddai rhaglenni newyddion yr holl sianeli eraill eisiau'r stori hefyd, ac roedd e yn y fan a'r lle, yn barod i ledaenu'r neges ar draws y byd! CLIC. CLIC. CLIC. Tynnodd gannoedd o luniau.

'Mae'r antur hon i ni i gyd!' gwaeddodd Tad-cu. 'I bob un sydd â breuddwyd! I ni sy'n cael ein galw'n wallgo ac yn boncyrs! Dyma'n ffordd ni o ddweud, "Ni yma". Ein ffordd ni o ddweud, "Peidiwch byth anghofio'ch breuddwydion".'

Roedd pawb wedi gwirioni. Ffonau'n clicio. Plant yn chwerthin. Gwyliodd Marty'r cyfan mewn sioc.

'Nawr, mae angen eich help chi. Rhaid cael y bwmpen ar gefn y fan laeth, i fynd â hi i harbwr Southampton, yn ne Lloegr bell.'

Roedd Colin wedi dod â'r fan laeth i'r rhandir agosaf. Byddai'n rhaid wedyn mynd ar hyd y ffordd, allan o'r dre ac yna ar y draffordd i lawr i'r arfordir.

Roedd Marty wedi llenwi'r bwmpen â photeli o ddŵr a phecynnau o fwyd, a thân gwyllt oedd yn weddill ar ôl Noson Guto Ffowc y dafarn llynedd. Roedd pawb yno, yr wynebau cyfarwydd i gyd. Gallai weld rhai plant o'r ysgol hefyd. Cododd Mr Garraway ei fawd arno. Yr unig wyneb oedd ar goll oedd Gracie. Gwgodd, ond cafodd waedd ddigon siarp i'w ddeffro o'i feddyliau.

'Hwp-ha! Hwp-ha!'

Tad-cus a mam-gus, plant a brodyr a chwiorydd a mamau a thadau i gyd yn helpu. Antis ac wncwls a ffrindiau ac unrhyw un oedd yn digwydd cerdded heibio, pawb yn rocio ac yn rholio'r bwmpen. Pwyso eu dwylo arni, gwthio a thynnu tan i'w bol tew godi'n ddiog o'r gwely pridd ac eistedd yn drwm rhwng y planciau pren a chefn y fan laeth.

'Hwp-ha! Hwp-ha!'

Yna, dyma pawb yn dechrau eto. Pawb yn chwysu chwartiau. Yn gwthio ac yn tynnu. Suddodd llawr y fan laeth ryw dri deg centimetr wrth i'r bwmpen gael ei llithro arni. Am eiliad, credai Marty fod y bwmpen yn mynd i droi'r fan ar ei hochr fel cownter tidliwincs. Siglo a stwyrian, gwthio a thynnu tan i'r bwmpen, o'r diwedd, eistedd yno yn dew a dioglyd. Gwaeddodd pawb a chymeradwyo eu camp. Aeth rhai o'r rhai talaf ati wedyn i glymu'r bwmpen yn ei lle.

'Reit, dere, Marty. Eisteddwn ni yn y ffrynt gyda Colin,' meddai Tad-cu.

Roedd rhaid iddyn nhw adael ar unwaith oherwydd amseroedd y llanw. Petai mwy o oedi, gallen nhw golli'r cyfle.

Roedd Marty'n edrych o gwmpas yn wyllt, a sylweddolodd Tad-cu beth oedd ar ei feddwl.

'Rhaid bod rhywbeth pwysig wedi codi gyda Gracie, dere...'

Cydiodd Marty yn ei got a mynd i eistedd yn y blaen wrth i injan y fan laeth ddod yn fyw. Roedd ei sŵn fel peiriant torri porfa, ac roedd hi'n straffaglu dan straen yr holl bwysau trwm yn y cefn. Tapiodd Colin ei fysedd ar y dashfwrdd – 'Dere, Besi fach!' – ac i ffwrdd â nhw.

Nid pob diwrnod mae cwch-bwmpen enfawr yn teithio ar hyd y draffordd yng nghefn fan laeth – oedd hynny'n torri'r

gyfraith tybed? – ond doedd heddiw ddim yn ddiwrnod cyffredin. Credai Marty y byddai'r olygfa ryfedd yn denu rhywfaint o sylw, ond doedd e erioed wedi dychmygu gymaint â hyn.

Roedd rhes hir o geir yn eu dilyn, pobol yn dymuno'n dda iddyn nhw ar eu taith, newyddiadurwyr a phobol chwilfrydig eisiau gwybod beth oedd yn digwydd nesa. Roedd hi fel syrcas! Ac roedd y daith yn hir, yn ddigon hir i Marty deimlo'n fwyfwy nerfus. Beth petaen nhw wedi cael yr amseru'n anghywir? Beth petai'r bwmpen yn suddo'n syth ar ôl ei rhoi ar y dŵr ac yn llithro i waelod y môr mewn swigen a sŵn rhech? Aeth yn chwys oer drosto. Beth petaen nhw'n suddo yng nghanol y môr? Wrth gwrs, roedd e'n gallu nofio, ond nid am filltiroedd… Synhwyrodd Tad-cu ei bryder.

'Marty, paid poeni…'

'Dwi ddim,' meddai'n gelwyddog.

'Wyt, mi wyt ti…'

Roedd mwg yn dod o injan y fan laeth ac yn chwythu i mewn i'r blaen, gan godi peswch ar Marty a Tad-cu a Colin.

'Chi'n neud hyn i ni i gyd, cofiwch,' meddai Colin. Doedd Marty ddim wir wedi treulio gymaint â hynny o amser yng nghwmni Colin o'r blaen. Roedd e'n ddyn mawr o gorff. Ond sylwodd Marty fod ganddo lygaid meddal, caredig.

'Mae pob breuddwyd oedd gyda fi erioed,' meddai Colin gan wenu'n drist, 'wedi pylu'n ddim byd… O'n i eisie bod yn nyrs, chi'n gwbod.'

Cafodd Marty ei synnu gan hyn.

'Ond roedd pawb yn chwerthin ar 'y mhen i, yn dweud na allwn i ddim. Ac fe fues i'n ddigon stiwpid i wrando arnyn nhw.'

Siglodd Tad-cu ei ben.

'A'r peth mwya stiwpid yw 'mod i'n fflipin casáu llaeth!'

Gwthiodd ei ên allan yn benderfynol.

'Fe wna i'n siŵr eich bod chi'n cyrraedd yr harbwr os mai dyna'r peth dwetha wna i…'

Roedd yr harbwr yn berwi o geir. Roedden nhw wedi pasio'r fan laeth ar y draffordd ac wedi ymladd am y lle gorau ar y cei i dynnu lluniau. Baciodd Colin y fan laeth ar y llithrfa i mewn i'r dŵr. Roedd y môr i'w weld yn gwbl lonydd. Yr amgylchiadau perffaith. Neidiodd Marty a Tad-cu allan.

'Shwt y'n ni'n mynd i neud hyn?' holodd Marty.

Doedd Tad-cu heb feddwl yn iawn am hynny. Roedd yna

step. Petaen nhw'n gwthio'r bwmpen allan byddai peryg iddi dorri. A doedd dim modd ei chodi, hyd yn oed gan dorf fawr o bobol. Edrychai Tad-cu braidd yn bryderus.

'Ni bron yna! Bron yna!'

Tynnodd Colin anadl fawr ddofn. 'Reit, i mewn â chi!'

'Be?' meddai Tad-cu.

'Ewch mewn iddi.'

'Be ti'n mynd i neud?'

'Bacio'r fan at ymyl y dŵr, neidio mas a gadael i'r fan suddo.'

'Ti'n mynd i adael i'r fan suddo? Ti'n siŵr?'

Doedd Colin heb fod yn fwy siŵr o unrhyw beth yn ei fywyd erioed.

'Fydda i ddim ei hangen hi rhagor. Dwi'n mynd 'nôl i'r coleg.'

Gwenodd Tad-cu.

'Jiniys...' Yna rhoddodd ei law ar ysgwydd ei ŵyr a dweud, 'Dere, 'machgen i. Mae'r amser wedi dod.'

Neidiodd Marty a Tad-cu i mewn i'r bwmpen. Rhoddodd Tad-cu ei law ar yr injan a chododd Marty yr hwyl. Roedd yna awel ysgafn. Y dyrfa ar y cei yn gweiddi. A hofrenydd uwchben.

'Tri! Dau! UUUUN!!'

Syrthiodd tawelwch drwy'r dorf, ac roedd pawb fel petaen nhw wedi stopio anadlu wrth i Colin danio injan y fan laeth a dechrau ei gyrru am yn ôl. Aeth ebychiad drwy'r dorf wrth i'r fan gyflymu wrth agosáu at y môr. Yna, gwaeddodd pawb pan neidiodd Colin allan gyda gwên fawr ar ei wyneb, wrth i'r fan gyffwrdd â'r dŵr.

'Dala'n dynn, Marty!' gwaeddodd Tad-cu, ac wrth iddo ddweud hynny llithrodd y fan yn llyfn i'r dŵr a suddo'n osgeiddig, gan adael Marty a Tad-cu a'r bwmpen i arnofio'n braf. Daliodd Marty yn dynn am ei fywyd wrth ochr y bwmpen a chwarddodd Tad-cu nes ei fod yn brifo. Doedden nhw ddim yn gallu clywed ei gilydd yn iawn gan fod y dorf wyllt ar y lan yn sgrechian a gweiddi'n groch.

'Hwn yw diwrnod gorau 'mywyd i!' llefodd Tad-cu. Yna, taniodd yr injan.

A dyma'r bwmpen yn dechrau bobio a woblo, a siglo a hyrddio, a phan oedd yr injan wedi cynnal rhyw rythm cyson, yn sydyn roedden nhw'n symud! Yn hwylio allan i'r môr. Agorodd Tad-cu yr hwyl, ac yn sigl yr awel, i ffwrdd â nhw. Ar ôl holl ffair a miri'r harbwr disgynnodd tawelwch llethol ryw ganllath o'r lan a'r bwmpen yn arnofio i'r dirgelwch mawr. Ond roedd un llais i'w glywed. Un llais yn gweiddi'n groch.

'Wooow! Arhoswwwch!'

Roedd y sŵn fel petai uwch eu pennau. Edrychodd Marty i fyny a gweld yr hofrenydd yn hofran. Un glas â streipen goch. Hofrenydd gwylwyr y glannau! Ciledrychodd Marty arno'n syn. Roedd gwynt y llafnau'n troi yn creu tonnau o gwmpas y bwmpen.

'Be mae'n neud?' gofynnodd Tad-cu.

'Ma rhywun yn dod lawr ar raff!'

Ac yn wir, roedd person mewn siaced achub yn hongian ar raff, ac yn dod i lawr yn araf tuag at y bwmpen.

'Gracie?' gwaeddodd Marty. Ie, dyna pwy oedd hi!

Llywiodd Tad-cu'r bwmpen fel bod Gracie yn cael ei gollwng yn ddianaf i mewn iddi. Glaniodd yn glewt, gyda gwaedd, 'Dwi'n iawn!'

Gwasgodd Marty hi'n dynn.

'Beth yn y byd...'

Sythodd Gracie, tynnu anadl ddofn a dweud, 'Paid gofyn!'

PENNOD DAU
DDEG WYTH

Pan aethon nhw o olwg y tir gostegodd y môr. Byddai'r dŵr weithiau'n llepian dros ochr y bwmpen ond ar wahân i hynny, ac ambell aderyn yn hedfan, roedd popeth yn dawel. Yn hafan nefolaidd. Roedd calon Marty wedi arafu ar ôl yr holl gyffro, ond er ei fod e'n gwybod bod hyn yn digwydd go iawn, doedd e ddim cweit yn gallu credu'r peth chwaith! Roedden nhw'n hwylio. Yn hwylio! Byddai Tad-cu yn edrych ar y cwmpawd ac yn darllen y map bob hyn a hyn ac aeth yr oriau cyntaf heibio mewn tawelwch a rhyfeddod llwyr, fel petai dim geiriau ganddyn nhw i ddisgrifio'u teimladau. Erbyn amser cinio, roedd cwrs y cwch wedi ei osod, ac fe gawson nhw bicnic yng nghanol y môr mawr.

'Lwyddest ti i fynd mewn i'r ysgol ddawns?' holodd Marty, wedi dod o hyd i'w lais o'r diwedd, ac yn trio ymddangos fel petai sgwrsio mewn pwmpen ar y môr yn rhywbeth hollol normal.

Cododd Gracie ei hysgwyddau wrth rannu'r brechdanau. 'Mae'n rhaid aros iddyn nhw ffonio... neu beidio...'

'A beth am y busnes hofrenydd 'na?'

Gwenodd Gracie.

'Aeth y clyweliadau mlaen yn hwyr. O'n i ddim yn meddwl bydden i'n gallu dod o gwbwl. Ond, mae'n debyg bod rhywun wedi dweud wrth Dad ble o'n i...'

Yn sydyn dechreuodd Tad-cu chwibanu ac edrych i ffwrdd...

'Pwy ddwedodd...?' dechreuodd Marty. Ac yna syrthiodd y geiniog. 'Tad-cu! Shwt allet ti?!'

'Mae'n iawn! Paid poeni!' chwarddodd Gracie. 'Welodd Dad fi'n dawnsio, a buon ni'n siarad am sbel a wedyn... Ti'n cofio fi'n sôn bod Dad wedi neud rhywfaint o hwylio? Wel, roedd e'n nabod un o wylwyr y glannau fan hyn a gofynnodd e am ffafr... O'n i ddim yn gallu credu, ond y peth nesa... daeth yr hofrenydd...'

Dyna'r tro cyntaf i Marty glywed Gracie yn chwerthin wrth siarad am ei thad.

'A, ta-daaa! Dyma fi! Dwi'n credu bod Dad wedi sylweddoli, ar ôl i fi drefnu popeth gyda'r clyweliad, 'mod i'n gallu edrych ar ôl fy hunan.'

Gwenodd Marty arni a dweud, 'Da iawn.'

'Wedodd Dad wrtha i am ddiolch i chi, Tad-cu,' gwenodd Gracie.

Gwenodd Tad-cu yn ôl. 'Dim problem, 'merch i.'

'Be ni'n mynd i neud ar ôl cyrraedd Paris 'te?' holodd Gracie wedyn.

'Wel,' dechreuodd Tad-cu, gan eistedd o'r diwedd a bwyta'i frechdan gaws a phicl. 'Dwi wedi gweithio popeth mas.' Tynnodd bad papur o boced dop ei wasgod. 'Mae'n rhaid i ni wneud y mwya o bob eiliad, felly dwi wedi creu amserlen. Clymu'r bwmpen, cerdded i ganol y ddinas. Wâc fach o gwmpas y Louvre, cinio yn y Jardin des Tuileries, a thrip i fyny Tŵr Eiffel i weld goleuadau Paris gyda'r nos. 'Nôl i'r bwmpen i gael noson o gwsg cyn hwylio adre yn y bore. Be chi'n feddwl?'

'Swnio'n dda i fi. Tŵr Eiffel. Be ti'n weud, Marty?' meddai Gracie, gan astudio'i wyneb.

'Swnio'n berffaith,' atebodd, gan geisio peidio meddwl am ei dad nac am y llu o bethau amhosib eraill a allai ddod yn bosib ar yr antur ryfeddol yma.

'Ma hyn yn grêt, on'd yw e?' gwenodd Gracie.

Roedd Marty'n gwenu hefyd. Roedd e'n cytuno wrth gwrs.

Ar ôl cinio roedd Tad-cu'n amcangyfrif eu bod nhw tua hanner ffordd, a'u bod yn teithio ar gyflymder o ryw 25 milltir fôr yr awr. Felly dylai'r daith 127 milltir o Southampton i Le Havre yng ngogledd Ffrainc gymryd rhyw bump awr.

Bob hyn a hyn, byddai'r tawelwch yn cael ei dorri gan long hwylio gerllaw, neu fferi yn y pellter. Roedd Marty'n gallu gweld slefrod môr, fel blobiau o blorod dan wyneb y dŵr. Bu bron i Gracie neidio i'r dŵr wrth weld haid o ddolffiniaid.

'Ha-ha!' chwarddodd Tad-cu.

Tad-cu oedd yng ngofal yr injan ac yn gofalu bod petrol o'r tuniau ar waelod y cwch yn cael ei ychwanegu pan oedd angen. Marty oedd yng ngofal yr hwyl a byddai'n eistedd ac edrych i fyny arni bob hyn a hyn, a hen gwmpawd Tad-cu yn gorffwys ar ei bengliniau. Gallai deimlo'r gwynt yn yr hwyl. Ei deimlo'n gafael ynddi a'u gyrru ar eu taith, neu'n mynd yn eu herbyn os byddai'n chwythu i'r cyfeiriad arall. Roedd yn rhyfeddu pa mor gryf oedd y gwynt. Roedd yn llenwi'r hwyl fel petai'n hylif neu'n ddŵr, ond yn hollol anweledig.

Ond yr hyn oedd yn fwyaf rhyfeddol i Marty oedd pa mor fach roedd e'n teimlo. Fel arfer, yn y tŷ gyda'i fam, byddai'n teimlo'n enfawr. Yn anferth. Fel petai'n rhy fawr i'r lle.

Roedd y tomenni o geriach a'r cyfyngdra a'r llawn-doprwydd yn gwneud iddo deimlo fel cawr ond allan fan hyn, roedd e, roedden nhw... mor, mor fach. Ac roedd hynny'n rhywbeth anhygoel o wych. Smotiau pitw. Brychau bach ar y dŵr. Dim byd ond llwch di-ddim. Gwacter am filltiroedd ar filltiroedd. A phŵer y môr o dan y cwch. Y tonnau'n siglo. Yn cwpanu'r bwmpen enfawr fel petai'n ddim. Roedd rhyw deimlad o ryddid yn hynny. Teimlai Marty mor ysgafn â phluen. Yr un teimlad a gâi wrth wylio Gracie'n dawnsio. Roedd Gracie'n edrych arno.

'Ti'n gwbod be?' meddai hi. 'Dyma'r hapusa dwi wedi dy weld di erioed.'

Gwenodd Marty. Doedd dim rhaid dweud gair.

Cyn hir, roedd Gracie wedi agor un o'r fflasgiau te. Ond roedd y tonnau wedi troi'n fwy garw. Gwyliodd Marty wrth iddi drio arllwys y te i'r mygiau heb losgi ei llaw.

Roedd ewyn gwyn ar frig y tonnau. Rhubanau o ddŵr yn torri wyneb y môr. Roedd y bwmpen yn siglo o ochr i ochr ychydig yn fwy. Cododd Tad-cu ar ei draed a thrio llywio'r hwyl dros y tonnau. Roedd diferion o ddŵr hallt yn tasgu drostyn nhw yn amlach erbyn hyn.

'Ni'n iawn!' gwaeddodd Tad-cu.

Roedd eu lleisiau'n swnio'n wahanol. Fel petai awel y môr yn cipio'r geiriau wrth iddyn nhw ddod allan o'u cegau. Roedd Gracie'n gwrando ar y tonnau drwy gryniadau'r bwmpen. Fel drwm. Rhyw hymian. Y synau'n dirgrynu o gwmpas ei bol mawr crwn.

Doedd yr injan ddim yn rhedeg mor llyfn yn y tywydd mwy garw. Roedd ei sŵn grwnian a gwegian yn crafu clustiau Marty.

'Ydy'r injan yn iawn?' gofynnodd Marty.

Roedd golwg reit bryderus ar wyneb Tad-cu.

'Ydy, ar hyn o bryd…'

Eisteddodd Tad-cu ac edrych ar y map.

'Dwi'n meddwl dylen ni weld tir cyn bo hir…'

Doedd dim angen edrych drwy'r binociwlars oherwydd wrth iddyn nhw agosáu at y lan roedd y sŵn wedi cynyddu. Roedd mwy o gychod, a phob capten llong yn edrych ddwy waith ar y cwch-bwmpen. Pob un yn estyn ei wddw fel jiráff i gael gwell golwg arni. Chwifiodd Tad-cu ei law arnyn nhw yn fonheddig, fel petai hwylio mewn cwch-bwmpen y peth mwyaf naturiol yn y byd. Gostegodd y tonnau wrth gyrraedd harbwr Le Havre a chyn iddyn nhw sylweddoli yn iawn, roedden nhw yn Ffrainc. Yn Ffrainc go iawn!

Neidiodd Marty i'r lan a thaflodd Tad-cu'r rhaff ato er mwyn clymu'r bwmpen yn ddiogel dros nos. Aeth Tad-cu i dalu'r harbwrfeistr – rhaid i bob llong dalu am gael aros mewn harbwr dros nos. Fel gwesty i gychod. Roedd yr harbwrfeistr yn siarad ar ei ffôn pan gnociodd Tad-cu ar ei ddrws. Pan edrychodd e drwy'r ffenest, syrthiodd y ffôn o'i law a safodd yno'n gegagored. Aeth Tad-cu i mewn, rhoi'r arian ar y ddesg a cherdded allan.

Roedd ganddyn nhw eu sachau cysgu wrth gwrs, a digon o fwyd. Aeth y tri i orwedd yn glyd ac anfonodd Gracie decst at ei thad i ddweud eu bod nhw'n iawn. O fewn munudau roedd Tad-cu yn chwyrnu, ond gorweddodd Marty a Gracie mewn tawelwch am dipyn, yn gwrando ar y tonnau'n llepian yn erbyn ochr y bwmpen.

'Wel, mae'n anodd credu bo' ni 'ma,' meddai Marty yn gysglyd. 'Mae'n teimlo'n od.'

'Dwi'n gwbod,' cytunodd Gracie, wedi blino'n lân. Blino ar ôl y dawnsio. Blino ar ôl y noson mewn gwesty rhad. A sigl y tonnau'n ei suo i gysgu.

'Nos da, Marty,' meddai, a'i llygaid yn drwm.

'Nos da...'

PENNOD DAU DDEG NAW

Deffrodd Tad-cu cyn y ddau arall. Aeth i'r becws agosaf a chael coffi poeth, ac yn ôl ei ddwy soser o lygaid rhaid ei fod yn goffi cryf iawn. Roedd plant wedi ymgynnull yn harbwr Le Havre, ac yn pwyntio a giglo ar y bwmpen a'i chriw. Pan ymddangosodd Marty, a'i wallt yn sticio i fyny dros bob man, chwarddodd y plant yn uwch. Aeth Tad-cu i tsiecio'r olew yn yr injan a chododd Gracie o waelod y cwch ac ymestyn ei chorff yn ddioglyd. Agorodd ei cheg yn swnllyd wrth i Marty lowcio'r *croissant* roedd Tad-cu wedi'i brynu, ac aeth i newid batris ei chymorth clyw cyn ei osod y tu ôl i'w chlust.

Roedd hi'n fore braf, a'r môr yn llyfn fel drych. Roedd y

goleuni'n dyner yr adeg yma o'r flwyddyn, a rhyw wawr binc iddo roedd Marty yn ei hoffi.

Am hanner awr wedi saith ar y dot taniodd Tad-cu yr injan a datglymodd Marty'r rhaff. Yna, neidiodd i mewn i'r bwmpen a gwthio yn erbyn wal yr harbwr gyda'r handlen brws oedd ganddyn nhw yn y cwch.

O fewn dim roedden nhw wrth geg afon Seine ac yn hwylio o dan y Pont de Normandie. Edrychodd Marty i fyny ar y bont mewn syndod, a dyna ddechrau ar holl ryfeddodau'r dydd. Heibio pontydd a thai crand, gwau rhwng cychod pleser o bob math, a phawb yn canu corn wrth eu gweld. Heibio pentrefi a threfi, a Tad-cu yn gweiddi eu henwau wrth basio.

'Caudebec-en-Caux! Rouen! Les Andelys! Vernon! Giverny! Dyna lle mae gerddi Monet, Marty.'

Cafodd Marty ei syfrdanu gan eu harddwch. Byddai Gracie ac yntau'n codi llaw ar y plant oedd yn seiclo ar hyd yr afon ar eu ffordd i'r ysgol. A'r pysgotwyr yn dymuno siwrne dda. Cadwai Marty un llaw ar yr hwyl gan drio cadw'r cwch yng nghanol yr afon, heb fynd yn rhy agos at y glannau. Safai Gracie'n dalsyth gan rybuddio pawb mewn da bryd eu bod nhw'n dod – doedd dim posib newid cwrs y cwch yn sydyn. Aeth i flaen y bwmpen gan weiddi cyfarwyddiadau i Marty a Tad-cu.

Wrth agosáu at Baris, roedd bywyd ar yr afon yn fwy prysur, ac roedd hi'n dechrau llenwi â chychod pleser llawn twristiaid. Doedd Marty heb weld y fath beth erioed! Roedd glannau'r afon hefyd yn brysurach. Caffis a stondinau bach lliwgar yn gwerthu comics a hen lyfrau. Artistiaid yn gwerthu lluniau neu bortreadau cartŵn i'r holl bobol a gerddai heibio. Ac yna daeth golygfeydd y ddinas i'r golwg.

Roedd hi'n ganol y bore erbyn hyn, ac roedd y niwl wedi ei sgubo i ffwrdd gan haul cynnes Awst. Ond i Marty roedd popeth wedi ei orchuddio gan des hudol. Fel rhith o ddinas yn codi'n freuddwydiol o'u blaenau.

'Drycha!' gwaeddodd Gracie. 'Yr Arc de Triomphe!'

Roedd yr afon yn nadreddu, yn troi ac ystumio, yn dangos y ddinas ac yn ei chuddio'r un pryd. Wrth fynd rownd y tro nesa, gollyngodd Marty ei gwmpawd. Llithrodd o'i bengliniau i'r llawr wrth iddo sefyll yn syth, a'i geg yn agored. Galwodd Tad-cu arno.

'Hei, Marty? Ti'n iawn?'

Nodiodd Marty, yn fud.

'Dyna fe,' sibrydodd yn syn. 'Tŵr Eiffel.'

Yn ei holl ogoniant. Yn disgleirio yn haul y bore. Yn hen ac yn newydd sbon yr un pryd. Ei linellau cadarn. Ei gryfder. Edrychodd Gracie yn ôl ar Marty, yn wên o glust i glust.

Wedyn, daeth y rhyfeddodau eraill, un ar ôl y llall. Tyrau Notre-Dame, yr Hôtel de Ville a'r Louvre. Fel petaen nhw ar set ffilm. Ond na, roedden nhw yno, yn rhan o fywyd y lle.

Cyrhaeddon nhw'r harbwr yng nghanol Paris, a cheisiodd Marty ei orau i arafu'r bwmpen a'i hatal rhag taro'n rhy galed yn erbyn waliau'r cei. Neidiodd Marty allan a chlymu'r rhaff yn sownd wrth bostyn metel oedd wedi ei osod yn y wal ac yna safodd i fyny'n syth. Diffoddodd Tad-cu yr injan a safodd Gracie hefyd. Doedd e ddim yn gallu credu. Doedd yr un ohonyn nhw'n gallu credu. Edrychodd y tri ar ei gilydd. Yn fud.

Roedden nhw ym Mharis.

PENNOD TRI DEG

Roedd Paris yn bopeth roedd Marty wedi breuddwydio amdano erioed – a mwy! Roedd yn llawn lliw. A llawn bwrlwm. Llawn sŵn. Yr arogleuon hyfrytaf erioed a'r bobol i gyd mor wahanol. Mor smart ac mor *chic*.

Roedd amgueddfa'r Louvre yn rhyfeddol. Y pyramid gwydr yma'n codi o'r ddaear. A'r holl drysorau oedd yno! Gweithiau celf a phaentiadau, cerfluniau a thlysau. Cerddodd Marty o gwmpas y lle am ddwy awr fel petai mewn breuddwyd. Roedd Marty wedi gweld lluniau o'r pethau yma yn yr ysgol. Roedd hyd yn oed wedi dod ar draws llyfr am gelf yn y tŷ, ond roedd eu gweld yn y cnawd, fel petai, ganwaith gwell na'r disgwyl.

Roedd Gracie wrth ei bodd â'r cerfluniau, eu cyrff wedi

eu cloi mewn carreg tan ddiwedd amser. Gosgeiddig. Yn cyffwrdd y galon, heb iddi allu eu cyffwrdd â llaw. Meddyliodd sut gallai rhywun wneud i rywbeth mor oer a llonydd edrych mor gynnes a byw. Safai o'u blaenau, yn ystumio'i chorff fel siapiau'r cerfluniau.

Treuliodd Tad-cu ei amser yn cerdded o gwmpas mewn llesmair ac yn siglo'i ben mewn rhyfeddod, a'i ddau fawd ym mhocedi ei wasgod.

Cawson nhw ginio mewn caffi yn y Jardin des Tuileries. *Baguettes* a lemonêd, a chafodd Tad-cu fwy o goffi cryf, a wnaeth iddo fyrlymu gan egni. Wrth i'r diwrnod fynd yn ei flaen teimlai Marty fwyfwy ar bigau'r drain. Fe fwyton nhw hufen iâ wrth ymyl pistyll carreg hardd ond roedd stumog Marty'n troi, ac erbyn iddyn nhw fynd at artist stryd i gael tynnu eu llun ar ddarn mawr o bapur, doedd e ddim yn gallu eistedd yn llonydd o gwbl.

Erbyn diwedd y prynhawn diflannodd nifer o'r twristiaid, ac wrth i'r haul fachlud rhoddodd Tad-cu, oedd wedi bod yn ei wylio'n mynd yn fwy a mwy anniddig, ei law trwy wallt Marty.

'Dere nawr, 'machgen i,' meddai. 'Mae'n amser.'

Roedd hi'n dechrau tywyllu wrth iddyn nhw agosáu

at Dŵr Eiffel, ond roedd hynny'n ei wneud yn fwy ysblennydd fyth. Roedd wedi ei oleuo gan filoedd o lampau bach, fel sêr. Ebychodd Marty wrth iddo weld ei freuddwyd yn agos. Roedd e'n ffantastig. Yn anferth. Yn hardd. Dwedodd Tad-cu y byddai e'n mynd i fyny yn y lifft ond penderfynodd Marty a Gracie gerdded i fyny'r grisiau.

'Ti'n iawn?' holodd Gracie. Nodiodd Marty. Doedd ganddo mo'r geiriau i siarad. 'Dere.'

A dechreuodd y ddau ddringo Tŵr Eiffel.

Roedd 674 o risiau i'r platfform hanner ffordd, a 1,665 gris arall i gyrraedd y top. Roedd Marty'n gwybod hynny cyn mynd. Roedd e'n 324 metr o uchder. Roedd e'n gwybod hynny hefyd. A dweud y gwir, roedd Marty yn gwybod popeth am y tŵr, ond roedd bod arno, sefyll arno, yn brofiad hollol afreal. Roedd Gracie allan o wynt ac roedd calon Marty yn rasio. Rownd a rownd â nhw, yn uwch ac yn uwch. Ac wrth ddringo roedd mwy o Baris yn dod i'r golwg. Gallech weld am filltiroedd, grid y strydoedd, yr heolydd llydan. Y tirlun yn cael ei atalnodi bob hyn a hyn gan eglwys neu dŵr neu fosg. Roedd Marty yn gwybod am fecanwaith y lle. Y tŵr metel. Sut roedd wedi cael ei osod at ei gilydd. Ond

roedd y cyfanwaith yn fwy na'r darnau unigol. Roedd e mor hardd. Yn fendigedig. Yn fyw…

Roedd Tad-cu yn aros amdanyn nhw ar y top, yn edrych o'i gwmpas yn syn, fel petai mewn man sanctaidd. Roedd yr haul yn machlud y tu ôl i'r ddinas, gan arddangos amlinell yr adeiladau mewn lliwiau aur ac oren. Tynnodd Marty anadl sydyn wrth iddo weld yr olygfa'n iawn am y tro cyntaf.

Doedd e ddim yn gwybod yn iawn beth i'w ddisgwyl. Breuddwyd oedd hyn wedi bod erioed. Roedd e fel petai eisiau bod yn agos at rywbeth. Cael ystyr mewn rhywbeth. Wrth iddo gamu ymlaen, cydiodd Tad-cu ym mraich Gracie a'i thynnu'n ôl i aros wrth ei ymyl. Edrychodd Marty. Yn feddylgar. Caeodd ei lygaid am eiliad a meddwl am dŷ ei fam, a chymaint roedd e'n ei charu. Meddyliodd am anferthedd y byd. A meddwl hefyd am ba mor unig roedd e'n arfer bod, ond nawr, er iddo drio amgyffred yr unigrwydd hwnnw, roedd e'n methu. Doedd e ddim yn unig rhagor. Roedd ganddo Gracie a Tad-cu, a Mam hefyd, er nad oedd hi yno gyda nhw. Teimlai y dylai hiraethu am rywbeth, ond doedd dim hiraeth. Dim ond awch am antur. Agorodd Marty ei lygaid, troi a gwenu. Aeth Gracie a Tad-cu draw a sefyll bob ochr iddo.

'Diolch,' sibrydodd.

'Croeso, 'machgen annwyl i,' meddai Tad-cu gan wasgu ei law. Teimlodd Marty ben Gracie yn gorffwys ar ei ysgwydd.

'Ti'n siomedig welest ti ddim dy dad?' holodd Gracie yn dawel. 'Dwi wedi bod yn poeni amdanat ti.'

'Na,' atebodd Marty, gan edrych i lawr ar y ddinas sgleiniog. 'Mae e ar ei daith bersonol ei hunan. Pwy a ŵyr, falle bydd ein llwybrau'n croesi rhyw ddiwrnod.' Arhosodd am eiliad. 'Dwi'n iawn.'

Gwasgodd Tad-cu ei law yn dynnach.

'Da 'machgen i,' meddai'n falch, a'i lais yn crynu. 'Marty bach fi.'

Erbyn iddyn nhw gyrraedd yn ôl at y bwmpen roedd hi'n hollol dywyll. Roedd lleuad lawn yn taflu llwybr o oleuni arian ar draws y dŵr tywyll. Camodd y tri i'r bwmpen a mynd i orwedd yn eu sachau cysgu. Roedd taith hir o'u blaenau fory eto. Roedd yr harbwr yn dawel, a'r ddinas i gyd fel petai wedi mynd i gysgu. Agorodd Tad-cu fflasg o siocled poeth ac fe fwyton nhw'r cacennau brynon nhw mewn becws ar eu ffordd yn ôl. A dyma'r tri yn siarad a siarad nes bod eu llygaid bron â chau.

'Mae'n cael ei galw'n Ddinas y Goleuni,' meddai Tad-cu.

Gwenodd Gracie.

'Am enw hyfryd...' meddai.

'Ydy, mae e, ti'n iawn,' meddai Tad-cu.

Wrth iddyn nhw orwedd ar eu cefnau ar waelod y cwch, siglai'r bwmpen yn araf odanyn nhw, ac uwch eu pennau roedd miliwn o sêr yn sgleinio gan filiwn o bosibiliadau.

PENNOD
TRI DEG UN

'REITI-TEITI, BANT Â NIIII!!!'

Dyna'r noson orau o gwsg gafodd Marty erioed. Roedd wedi ymlacio'n llwyr. Y siglo a'r tawelwch. Yr awel a'r awyr iach wedi ei lorio'n llwyr. Cododd Tad-cu yn gynnar eto a cherddodd i siop leol i brynu *pains au chocolat*. Wrth iddyn nhw eu bwyta yn haul y bore, roedd y bobol oedd yn mynd â'u cŵn am dro yn eu gwylio'n syn.

Erbyn un ar ddeg o'r gloch roedden nhw'n barod i hwylio. Roedd Tad-cu wedi tsiecio'r injan ac roedd hi'n bryd iddyn nhw adael. Datglymodd Marty'r rhaff a'i thaflu i'r bwmpen cyn neidio i mewn iddi.

'*AU REVOIR!!*' gwaeddodd Tad-cu gan chwerthin. 'Paris, mae wedi bod yn bleser!'

Chwifiodd Gracie ei llaw wrth ffarwelio â'r ddinas. Gwenodd Marty a sibrwd 'diolch' dan ei anadl.

Roedd y Seine dipyn mwy garw heddiw a'r awyr yn fwy llwyd. Roedd ganddyn nhw ymbarél anferth i'w ffitio'n dynn ar dop y bwmpen fel caead tebot rhag ofn iddi dresio bwrw. Ond doedd neb yn awyddus i'w ddefnyddio chwaith.

Roedd yr injan yn rhedeg, ond roedd patrwm ei sŵn yn wahanol. Roedd y tonnau'n fwy garw, ac yn fwy anwadal. Edrychodd Marty ar Tad-cu yn ofidus. Roedden nhw wedi gadael yr harbwr, ac roedd y tri yn gwisgo eu siacedi achub, ond fe wnaeth Marty, am ryw reswm, fynd i nôl y tân gwyllt yn barod, rhag ofn. Roedd Gracie'n dawel, a Marty hefyd. Nawr eu bod ar eu ffordd adre roedd eu hysbryd wedi lleddfu rhywfaint. Rhaid meddwl am fynd yn ôl i'r ysgol. Yn ôl i normalrwydd. Yn ôl i… Ceisiodd Marty beidio â meddwl gormod am ei fam. Sylwodd fod Gracie yn edrych braidd yn welw…

'Ti'n iawn, Gracie?'

'Dwi'n ocê… Ma mwy o donnau, 'na i gyd.'

Roedd y tonnau'n sicr yn chwyddo, a'r gwynt yn cryfhau.

Doedd yr injan ddim yn gwneud ei gwaith cystal, dim ond yr hwyl llawn gwynt oedd yn gwthio'r bwmpen yn ei blaen. Byddai hynny'n beth da fel arfer, ond roedd hi'n siglo ac yn hercio gormod. Estynnodd Marty un o'r bwcedi plastig i Gracie – un o'r rhai oedd yno rhag ofn y byddai angen taflu dŵr allan o'r cwch mewn storm. Ceisiodd Marty glymu popeth i lawr, pacio popeth yn dynn at ei gilydd ar waelod y bwmpen i'w stopio rhag symud o gwmpas. Roedd Tad-cu'n gweithio'n galed yn trin yr hwyl.

WWWSH, CLAC, WWWSH, CLAC.

Byddai'r cwch yn tasgu ymlaen yn sydyn a tharo'r dŵr yn galed ar ôl dod yn ôl i lawr.

WWWSH, CLAC.

Edrychodd Tad-cu yn llawn gofid ar yr injan, yna eisteddodd a cheisio gweithio allan ble'n union oedden nhw. Roedd sawl awr i fynd cyn cyrraedd Le Havre. Edrychodd yn ofalus ar y bwmpen a gwgu.

'Be sy'n bod, Tad-cu?'

Roedd Tad-cu'n hongian dros yr ochr, yn edrych ar du allan y bwmpen.

'Mae'n iawn,' galwodd.

'Ddylen ni stopio? Am chydig bach?' gofynnodd Gracie,

gan geisio anwybyddu ei stumog oedd yn corddi fel peiriant golchi. 'Ydy'r bwmpen yn mynd i ddal?'

Tynnodd Tad-cu ei hun i fyny.

'Bydd hi'n iawn,' meddai gan sychu ei dalcen. 'Mae rhywfaint o niwed i'r tu allan ond mae hynny'n rheswm da i fwrw mlaen, dwi'n credu. Mae'r amserlen yn reit dynn os y'n ni eisie cyrraedd adre erbyn pen-blwydd dy fam, Marty, ac mae rhaid i'r biwti 'ma ddal ati.'

Doedd Marty erioed wedi colli pen-blwydd ei fam. Doedd ganddo byth arian i brynu anrheg iddi, wrth gwrs, ond bydden nhw'n chwarae recordiau ar yr hen beiriant ac yn dawnsio fel ffyliaid, a Marty'n cael aros ar ei draed yn hwyr. Roedd meddwl am golli hynny yn troi ei stumog yn fwy o lawer na siglo'r bwmpen.

Roedd yr awr nesaf yn erchyll. Byddai ymchwydd y tonnau yn eu codi ac yna'n eu taflu i lawr dro ar ôl tro ar ôl tro, nes eu bod wedi drysu. Roedd y trefi a'r pentrefi a welson nhw ar eu taith i fyny'r Seine wedi gwibio heibio mewn un cawdel mawr wrth iddyn nhw ganolbwyntio ar ddal yn dynn. Roedd Marty'n cadw llygad am y Pont de Normandie, gan wybod wedyn y bydden nhw wedi cyrraedd Le Havre yn ddiogel. Ond doedd dim golwg ohoni.

Roedd y gwynt yn chwythu'n gryf, yn cipio rhaff yr hwyl o ddwylo Marty bob hyn a hyn, ac yn creu llosgiadau wrth iddi grafu ar draws cledrau ei ddwy law. Roedd yn ceisio'i orau glas i ddal arni, ond roedd ei freichiau wedi blino.

'Gad hi fynd!' meddai Tad-cu yn y diwedd. 'Ma'r gwynt mor gryf, sdim pwynt i ti ymladd yn ei erbyn.'

'Gadel hi fynd?' gwaeddodd Marty, yn methu credu.

'Ie, gad hi fynd. Bydd jyst rhaid i ni fynd gyda'r llif.'

Doedd Marty ddim yn cytuno o gwbwl, ond roedd Tad-cu siŵr o fod yn gwybod beth oedd orau, felly gollyngodd y rhaff yn rhydd. Tynnodd yr hwyl i lawr a'i phlygu'n un bwndel ar lawr y bwmpen. Aeth Gracie i eistedd gydag e. Roedd hi'n fwy na gwelw erbyn hyn, roedd hi bron yn wyrdd gan salwch môr.

Ymhen tipyn aeth Tad-cu i eistedd gyda nhw. Edrychodd Marty arno mewn panig.

'Be ti'n neud?'

Gwenodd Tad-cu.

'Rhaid i ti wbod weithiau pryd i adael fynd, 'machgen i.'

Edrychodd Marty ar Gracie.

'Ond sneb yn llywio…' meddai hi.

Nodiodd Tad-cu, a thynnu ei het yn is dros ei glustiau. 'Dwi'n gwbod.'

Roedd e'n siarad fel petai'n gwbwl normal i fod yn rhuthro ar hyd afon Seine mewn pwmpen allan o reolaeth.

'Gallwn ni ymladd yn galed yn erbyn y tywydd,' meddai Tad-cu, 'ond *ni* fydd yn colli'r frwydr fach 'ma. Rhaid gweddïo bydd popeth yn iawn.'

Ac aeth oriau heibio, a hwythau'n arnofio'n ddibwrpas ar y dŵr tonnog. Gorweddai'r hwyl grychlyd rhyngddyn nhw.

'Ddylen ni alw rhywun?' gofynnodd Gracie. 'Ydyn ni mewn trwbwl?'

Gwenodd Tad-cu. 'Na, sai'n credu.'

Erbyn tua phump o'r gloch roedd yr afon wedi tawelu rhywfaint. Aeth Tad-cu i gysgu hyd yn oed, ac ar ôl deffro pipiodd dros ymyl y bwmpen i geisio gweld ble roedden nhw. Edrychodd Marty arno a gweld gwên yn lledu ar draws ei wyneb. Ac yna, daeth rhyw dywyllwch dros bob man.

'Wow funud!' gwenodd Marty. 'Y bont! Ni yn Le Havre!'

Gwenodd Tad-cu eto.

'Wrth gwrs! Mae'r Seine yn afon sy'n mynd gyda'r llanw. O'n i'n gwbod bydden ni'n cyrraedd yn y pen draw...'

Rhoddodd Tad-cu winc fawr a gwenodd Marty'n ôl arno, er nad oedd e wedi ei argyhoeddi'n llwyr bod Tad-cu'n dweud y gwir.

Y noson honno, cafodd y bwmpen ei chlymu yn yr harbwr ac aeth y tri i gael pryd o fwyd mewn bwyty bach. Doedd dim llawer o arian ar ôl, ond gan mai hon oedd noson olaf eu hantur penderfynodd Tad-cu wario'r cyfan ar *moules frites* ac yna hufen iâ i bwdin.

Cawson nhw fwrdd y tu allan, ac eisteddodd y tri yno'n bwyta, wedi eu lapio'n gynnes yn eu cotiau gan edrych allan ar y Sianel. Chwarddodd Marty wrth i Tad-cu ddipio ei fara yn awchus yn saws y *moules* nes ei fod yn dripian dros ei ên i gyd. Cafodd Gracie ddau hufen iâ am ei bod hi'n llwgu gymaint ar ôl methu bwyta unrhyw beth yn ystod y dydd. Roedd Marty yn dawel. Yn falch eu bod wedi dod mor bell ac yn gwybod eu bod ar y ffordd adre.

'Dwi wedi bod yn meddwl,' meddai'n araf. 'Dwi'n credu 'mod i'n gwbod beth dwi eisie bod pan fydda i'n fawr.'

Edrychodd Tad-cu arno wrth sychu ei fysedd sawslyd yn

ei drowsus. Syllodd Gracie arno hefyd, a gwyrodd Marty ei ben yn swil.

'Dwi eisie bod yn bensaer.'

Rhythodd Tad-cu arno, yn fud. Crychodd Marty ei dalcen, wedi ymgolli'n ddwfn yn ei feddyliau.

'Dwi eisie meddwl am y ffordd ni'n byw. Y gofod ni'n ei lenwi yn y byd. Dwi eisie breuddwydio am bethau anhygoel sy'n fwy na ni... a'u gwneud yn real...'

Gwenodd Gracie.

'Wel, wel,' meddai Tad-cu gan sychu deigryn, 'dwi'n meddwl bod hynna'n wych. Yn hollol wych.'

PENNOD
TRI DEG DAU

Roedd hi'n pigo bwrw ers y bore bach. Roedd Gracie wedi gosod ei larwm am bump o'r gloch. Byddai pump awr o hwylio eto cyn cyrraedd Southampton, a thaith arall adre wedyn ar hyd y draffordd i Gymru. Cwynodd Tad-cu am ei gefn poenus wrth godi. Sniffiodd Marty ei hun. Roedd e'n drewi. Nid drewdod cyffredin peidio ymolchi am ddiwrnodau ond y drewdod anghyffredin sy'n dod o bwmpen wedi suro. Roedd tu fewn y bwmpen wedi dechrau troi'n seimllyd ac roedd Marty'n siŵr ei bod hi'n gorwedd ychydig yn is yn y dŵr.

Doedd dim arian i brynu brecwast, ond roedd Tad-cu wedi dweud y bydden nhw'n gallu bod heb fwyd tan iddyn nhw gyrraedd tir eto yn ddiweddarach yn y dydd. Edrychodd Marty allan i'r môr wrth i Gracie a Tad-cu glirio'r bwmpen. Bydden nhw'n gallu cael gwared ar unrhyw bwysau diangen ac roedd ambell dun petrol gwag a rhywfaint o sbwriel yn mynd â lle, felly cafodd y rheini eu rhoi mewn bin yn yr harbwr. Roedd y môr yn llwyd ac roedd hi'n anodd gweld ble roedd y môr yn gorffen a'r awyr yn dechrau. Roedd y ddau'n ymdoddi'n un. Roedd hi'n anodd darllen cyflwr y môr – doedd e ddim yn rhy arw ond roedd fel petai tynfa yn y cerrynt.

'Barod?' holodd Tad-cu o'r diwedd. Nodiodd Gracie a gwenu. 'Adre â ni 'te!'

Hwyliodd y bwmpen allan o'r harbwr a dechrau ar y daith o Le Havre i gyfeiriad Southampton. Cododd Marty yr hwyl ac roedd y gwynt yn chwythu'n gyson. Gwyliodd yr hwyl yn llenwi a'u gyrru ymlaen. Roedd y daith yn weddol dawel, gan nad oedd llawer o draffig yng nghanol y môr. Roedd Gracie yn eistedd ac yn rhoi ei chlust ar ymyl y bwmpen i wrando ar y dŵr odani. Roedd Tad-cu yn siarad yn dawel â'r injan. Yn ei hannog ymlaen.

Roedd Marty'n methu aros i ddweud wrth ei fam fod un o gynlluniau Tad-cu wedi gweithio o'r diwedd. Eu bod wedi cyflawni'r antur fwyaf anhygoel ac anghredadwy. Dychmygai agor y drws yn llawn cyffro a dweud y stori i gyd wrthi. Efallai na fyddai hi'n ei gredu, ond byddai'n adrodd pob gair o'r hanes beth bynnag. Roedd Marty wedi bod yn meddwl amdani yn ystod y nos, ar ei phen ei hun yn y tŷ, ac roedd e'n gwybod na fedrai e ei gwella. Nid ei waith e oedd hynny, doedd ganddo mo'r pŵer, ond gallai fyw ei fywyd ei hun. Cyflawni rhywbeth drosto'i hun a dangos i'w fam mor braf allai'r byd fod…

Roedd e'n meddwl am hyn i gyd pan sylwodd ar rywbeth. Rhywbeth a fyddai'n peri gofid iddo ar dir sych, ond allan ar y môr tonnog mewn cwch-bwmpen roedd y gofid yn waeth. Roedd ei sanau'n wlyb. Edrychodd i lawr arnyn nhw. Wiglodd fysedd ei draed. Iep! Roedden nhw'n wlyb, yn bendant. Gan fod Gracie yn ei byd bach ei hun doedd hi ddim wedi sylwi.

'Yyymm, Tad-cu!'

'Aros eiliad, Marty.'

'Na, Tad-cu…'

'Rho funud i fi sortio'r injan 'ma…'

'Tad-cu, ma dŵr yn dod i mewn!'

Siglodd Tad-cu ei hun o'i freuddwyd.

'Be?!'

Edrychodd i lawr.

'O na!'

Rhoddodd Marty bwt i fraich Gracie a phwyntio at ei draed gwlyb. Edrychodd hi arno, yn llawn gofid.

'Bwcedi'n barod!' gwaeddodd Tad-cu.

Dim ond rhyw ddau gentimetr o ddŵr oedd ar waelod y bwmpen ond roedd yn dechrau swishio'n ôl ac ymlaen yn barod. Dechreuodd Tad-cu archwilio'r gwaelod i weld ble'n union roedd y dŵr yn dod i mewn.

'Y ffôm!' gwaeddodd. 'Mae'r injan wedi symud, a gadael bwlch!'

Roedd y tonnau'n tasgu drostyn nhw wrth iddyn nhw SWISH SWISH SWISHIO o ochr i ochr. Roedd Marty'n teimlo'n sâl. Yn wan ac yn sâl. Dechreuodd gael gwared ar y dŵr wrth i Tad-cu lywio'r cwch am y tir mor gyflym â phosib. Roedd Gracie'n canolbwyntio'n galed ar beidio taflu i fyny dros bawb a phopeth.

'Allwn ni ddim bod yn bell!' gwaeddodd Tad-cu.

Ar y dechrau, roedd Marty'n llwyddo'n weddol i gadw'r dŵr allan, ond yn fuan roedd yn cyrraedd hyd at ei fferau.

'Tad-cu! Alla i ddim, Tad-cu!'

Roedd y ddynes o randir rhif 7 wedi rhoi benthyg ei binociwlars iddyn nhw ac roedden nhw'n hongian o gwmpas gwddw Tad-cu. Bob hyn a hyn byddai'n edrych drwyddyn nhw ac yn pwyntio i gyfeiriad y lan gan obeithio y gwelai'r tir ar y gorwel. Ond welai e ddim byd.

Roedd Gracie yn helpu i gael gwared â'r dŵr erbyn hyn hefyd, sâl neu beidio. Roedd hyn yn prysur droi'n greisis. Llenwai'r mygiau enamel â dŵr a'i daflu'n ôl i'r tonnau.

Roedd Marty druan yn cael ei wthio o un ochr i'r cwch i'r llall, ac roedd e a Gracie'n gwneud rhyw ddawns gymhleth i

osgoi taro i mewn i'w gilydd. Trodd ei feddyliau fwyfwy at ei fam. Roedd e'n methu aros i'w gweld hi.

'Wyt ti'n gweld tir, Tad-cu? Tad-cu!'

Roedd Tad-cu'n edrych ond yn methu gweld dim.

'Dal i edrych!' meddai Marty.

Erbyn hyn roedd Marty'n siŵr fod y cwch yn gorwedd dipyn is yn y môr. Roedd y dŵr yn y cwch dipyn uwch. Gweithiodd yn galetach tan fod ei gyhyrau'n brifo a'i fol yn llosgi. Roedd Gracie mor wyn ag eira.

'Marty, ydyn ni'n mynd i fod yn ocê?' gofynnodd Gracie.

Doedd Marty ddim eisiau dweud celwydd wrthi. Roedd y sefyllfa'n ddifrifol iawn.

'Falle dylen ni danio'r tân gwyllt, Tad-cu!'

'Dwi'n cytuno!' gwaeddodd dros sŵn y gwynt.

Ond doedd Marty ddim yn gallu aros yn llonydd i danio matsien. A bob tro y llwyddai i danio un, byddai'r fflam yn cael ei diffodd gan y gwynt. Bob tro y tynnai fatsien o'r bocs byddai diferion dŵr yn ei gwlychu.

'Pam ddaethon ni ddim â leiter?' gwaeddodd yn rhwystredig.

Yn y diwedd, gosododd y tân gwyllt yn dynn yn nhop un o'r bagiau ar lawr y bwmpen, ac eistedd yn y dŵr a'i goesau ar led. Yna, a'i fysedd yn crynu, llwyddodd i grafu un fatsien yn ofalus ar y bocs ac arwain y fflam y tu ôl i un llaw a thanio'r tân gwyllt.

'PENNAU LAWR!' gwaeddodd.

WWWWWWWWSHSHSHSHSH!!!

Tasgodd y roced yn syth i fyny i'r awyr wrth i'r cwch simsanu, a ffrwydrodd yn un glec o wreichion coch ac oren. Yna BŴM! Ffrwydriad arall a BŴM eto! Teimlodd Gracie'r dirgryniadau yn ei phen a'i brest ac o'i chwmpas. Dyna un o'r profiadau rhyfeddaf erioed.

Roedd y dŵr yn dal i lifo i mewn i'r bwmpen ar ras, hyd nes ei fod bron â chyrraedd y top. Roedd hyn yn beryg bywyd.

'Dwi wedi blino gymaint!' llefodd Gracie.

'Rhaid dal ati!' gwaeddodd Marty, gan afael yn y bwced eto. 'Mae'n rhaid bod ni bron yna!'

Safodd Tad-cu eto, gan drio aros yn ddigon llonydd i weld drwy ei finociwlars. Ac yn sydyn torrodd gwên fawr ar ei wyneb.

'Ti'n gweld rhywbeth?' gofynnodd Marty.

Dechreuodd bol Tad-cu siglo lan a lawr a daeth sŵn giglo nerfus o'i geg. Edrychodd Gracie ar Marty.

'Be sy, Tad-cu?'

Trodd ei gigl yn chwerthin iach. Tynnodd Marty ar ei got.

'Tad-cu, wyt ti'n gallu gweld tir?'

Tynnodd Tad-cu ei finociwlars a'u rhoi i Marty.

'Drycha di, 'machgen i…'

Gwasgodd Marty'r lensys at ei lygaid, a safodd ar ei draed, gan geisio cadw cydbwysedd. Syllodd yn ofalus. Môr. Môr. Mwy o fôr. Yna… ebychodd. Y tir! Ymhell bell yn y pellter ond… yn dod tuag atyn nhw roedd cychod. Rhai mawr. Rhai bach. Rhai pysgota. Rhai pleser. A phobol yn chwifio baneri. Am olygfa anhygoel! Dechreuodd Marty chwerthin hefyd.

'Mae 'na gychod! Lot ohonyn nhw! Pysgotwyr, achubwyr bywyd… Yn dod i gwrdd â ni!' gwaeddodd Marty.

Gwenodd Gracie.

Teimlai fel oes ond o'r diwedd roedd y cychod i gyd wedi stopio mewn cylch o'u cwmpas. Roedd arwyddion 'CROESO ADRE!' a baneri a bynting o bob lliw. A gweiddi a chwerthin. Roedd criwiau newyddion a drôns yn hedfan yn ffilmio'r holl ddigwyddiad. Ceisiai Tad-cu gadw'r bwmpen yn wastad er mwyn eu hatal rhag syrthio dros yr ochr yn eu cyffro ac oherwydd bod mwy o symud yn y dŵr o'u cwmpas.

Yn araf a phwyllog, llusgodd y cwch-bwmpen gan bwffian mynd fel hen drên stêm yn nes ac yn nes at y porthladd. Safai rhes o blant ysgol ar hyd pob modfedd o wal y cei, a dyn â tsiaen fawr aur am ei wddw yn aros amdanyn nhw. Y maer, tybiodd Marty.

'Croeso adre, Marty a Gracie a Tad-cu!' gwaeddai'r dorf.

Safodd Gracie wrth i Tad-cu daflu rhaff i'r lan er mwyn clymu'r bwmpen yn ddiogel. Yna, gwelodd Marty yr olygfa fwyaf rhyfeddol ohonyn nhw i gyd.

Yn sefyll ar y lan, yn edrych yn fach ac yn nerfus, roedd ei fam. Roedd y dyn a welodd Marty yn y tŷ yn sefyll wrth ei hymyl. Doedd Marty ddim yn gallu credu ei lygaid. Hoeliodd ei fam ei llygaid ar ei mab. Neidiodd Marty allan o'r cwch a rhedeg a rhedeg. A rhedodd hi ato, nes i'r ddau gwrdd ar y llithrfa. Gwasgodd y ddau ei gilydd. Yn dynn. Dal yn ei gilydd wrth i bobol glapio a gweiddi. Cydiodd ei fam yn dyner yn wyneb Marty a syllu arno.

'Dwi mor browd o'not ti! Dwi mor, MOR browd!' Roedd ei llygaid yn llawn dagrau.

Edrychodd yn ôl dros ei hysgwydd ar y dyn. Chwifiodd ei law ar Marty.

'Y dyn... Neil yw e. Mae e'n gwnselydd...'

'Cwnselydd?' holodd Marty.

'Mae e wedi bod yn helpu fi...'

A dechreuodd y darnau ddisgyn i'w lle.

'Rhaid i fi sortio be sy'n mynd mlaen fan hyn,' meddai ei fam gan dapio'i phen â'i bys, 'er mwyn i fi allu sortio be sy'n y tŷ... ond ti, ti'n esiampl wych...'

Rhoddodd Marty ei ben ar ysgwydd ei fam, a safodd y ddau mewn un cwtsh mawr am amser hir.

PENNOD
TRI DEG TRI

Roedd Colin y dyn llaeth wedi dod i'w nôl mewn fan wedi ei llogi, oherwydd roedd y fan laeth ar wely'r môr. Doedd y fan lwyd ddim y peth mwyaf steilish yn y byd, a doedd e ddim fel cael eu cludo mewn bws top agored fel tîm pêl-droed buddugoliaethus, ond i Marty roedd yn berffaith. Erbyn hyn roedd y rhan fwyaf o'r dorf wedi mynd adre, yn wên o glust i glust, ond i'r rhai oedd ar ôl roedd mwy o ddathlu i ddod. Roedd Tad-cu a Mam wedi cael sgwrs fach dawel, ac eisteddai Gracie gyda'i thad. Roedd e wedi lapio blanced drosti ac roedd y ddau'n siarad fel pwll y môr. Edrychodd Marty arnyn nhw a gwenu.

'Ydy dy fam wedi mynd gytre?' gofynnodd Tad-cu, a nodiodd Marty. 'Mae beth wnaeth hi heddi yn dangos nerth aruthrol. Dewrder.' Roedd Marty'n gwybod hynny. 'Mae hi'n anhygoel. Ac un diwrnod, fe fydd hi'n sylweddoli hynny hefyd.'

Roedd Colin yn aros amdanyn nhw, ac roedd hi'n dechrau tywyllu.

'Wel,' meddai Marty, wrth edrych ar y bwmpen yn disgleirio yng ngolau ola'r dydd, 'beth y'n ni'n mynd i neud â hi nawr?'

Rhoddodd Tad-cu ei freichiau o gwmpas Marty. Galwodd un o'r pysgotwyr draw a sibrwd rhywbeth yn ei glust. Nodiodd y pysgotwr a mynd i lawr y grisiau at yr harbwr. Daeth tad Gracie atyn nhw a siglo llaw Tad-cu.

'Diolch am edrych ar ôl Gracie,' meddai.

Gwenodd Tad-cu.

'Sdim angen edrych ar ei hôl hi, ond mae wedi bod yn bleser.'

'Dwi wedi bod yn meddwl,' aeth yn ei flaen, 'ar ôl i Gracie ddweud mai chi yw'r garddwr gorau yn y byd.'

Roedd Marty'n siŵr iddo weld Tad-cu'n gwrido.

'O, sai'n siŵr am hynny,' meddai'n swil.

'Dwi'n gwbod bo' ni'n dau wedi dechre ar y droed anghywir, ond hoffwn i ddysgu mwy am arddio. Sdim amser wedi bod gyda fi, a dweud y gwir, ond falle dylwn i weithio llai o oriau.'

Gwenodd Tad-cu.

'Wel, gallen i wneud y tro â phâr arall o ddwylo weithiau. Mae awyr iach yn lles i gorff ac enaid.'

Roedd Gracie newydd ymuno â'r criw mewn pryd i glywed corn cwch y pysgotwr yn canu'n groch. Edrychodd pawb draw at y dŵr. Roedd y pysgotwr wedi tynnu'r bwmpen allan i'r môr ar raff. Cododd Tad-cu ei law yn arwydd i'r pysgotwr ei gadael yn rhydd. Wrth i'r haul fachlud dros y gorwel edrychodd y criw ar y bwmpen yn llithro'n araf o dan y dŵr. Sylwodd Marty fod Tad-cu yn sychu deigryn o'i lygad.

'Dyna ble mae hi i fod,' meddai a'i lais yn torri. 'Ym myd breuddwydion.'

Cydiodd Marty yn llaw ei dad-cu a'i gwasgu.

'Da iawn, Tad-cu.'

PENNOD TRI DEG PEDWAR

Aeth y parti ymlaen am *oriau*! Roedd pawb wedi ymgynnull yn y rhandiroedd ac roedd y rhesi o fyrddau bach yn drwm gan fwyd o bedwar ban byd. Wedi'r cyfan, roedd hi'n dymor y cynhaeaf ac roedd digonedd o ffrwythau a llysiau o bob math. Roedd Tad-cu wedi gwneud sawl cyfweliad i'r wasg a bu pawb yn chwerthin a dawnsio dros y rhandiroedd. Byddai'r papurau newydd i gyd yn llawn hanesion a phawb yn gwybod eu stori erbyn fory.

Roedd Marty yn eistedd yn fodlon wrth y tân pan ymunodd Gracie ag e.

'Ges i fy nerbyn…' meddai.

'O'n i'n gwbod byddet ti!' gwenodd Marty.

'Ffonion nhw heddi. Gadael neges.'

Meddyliodd Marty pa mor bwysig oedd hyn i'w ffrind.

'Fe wnaeth Dad ffonio Mam hefyd,' aeth yn ei blaen, 'ac mae'r ddau'n hapus iawn drosta i.'

Gwenodd Marty eto.

'Dwi mor browd o'not ti,' meddai Marty, gan feddwl pob gair.

'Dwi'n browd o'not ti hefyd,' meddai hi. 'Bydda i adre bob penwythnos.'

'Dwi'n gwbod,' meddai Marty.

'A beth bynnag, falle fydd bod ar wahân yn ystod yr wythnos ddim yn ddrwg i gyd, achos ti'n dechrau mynd ar fy nyrfs i, a dweud y gwir.'

Gwenodd y ddau ar ei gilydd.

'A hefyd,' ychwanegodd Gracie, 'ar ôl yr holl sylw yn y papurau byddi di'n arwr yn yr ysgol dydd Llun. Fydd gyda ti ddim amser i fi, a'r holl ffans ar dy ôl di...'

Roedd y partïwyr olaf yn gadael erbyn hyn ac roedd hi'n dechrau gwawrio. Roedd Marty fel petai wedi adnabod un o'r ffigurau oedd yn dawnsio yng ngoleuni'r bore bach ond eto, roedd e'n methu rhoi enw iddo chwaith. Ac yna, wrth iddo ymddangos wrth ei ymyl, sylweddolodd.

Mr Garraway oedd e. Mewn cilt! Neidiodd Marty ar ei draed.

'Helô, arwr!' gwenodd Mr Garraway.

'Chi'n edrych yn smart iawn, syr,' meddai Marty.

'Wel, mae'n bwysig dathlu, on'd yw hi? Roedd y trip yn gwbwl anhygoel, Marty!'

'Diolch, syr,' meddai Marty gan wenu.

Daeth dynes anghyfarwydd draw at Mr Garraway a rhoi ei breichiau o gwmpas ei ganol.

'O'n i eisie dweud wrthot ti fod gen i swydd newydd.'

Cwympodd wyneb Marty. 'Chi'n gadael yr ysgol?' gofynnodd.

Siglodd Mr Garraway ei ben. 'Na, na. Fi yw'r Prif newydd!'

Edrychodd Marty ar Gracie, a'i wyneb yn bictiwr.

'Mae'r blaidd mawr cas yn ymddeol...' winciodd. Ond yna edrychodd yn ddifrifol. 'O na, dyw hi ddim tu ôl i fi, ydy hi?!'

Siglodd Marty ei ben a chwerthin.

'Dyna oedd fy nymuniad i, pan ddes i i weld y bwmpen.'

'Gwych, syr!'

'Ydy, mae e! Reit,' meddai wrth y ddynes, 'well i ni ei throi hi. O'n i jyst eisie dweud diolch.'

Nodiodd Marty.

'Mae'n iawn.'

Roedd ar fin gadael pan drodd at Marty eto a dweud, 'O, ie, ti wedi meddwl am dy ddewisiadau? Be ti eisie neud?'

Gwenodd Marty.

'Ydw, a dweud y gwir.'

'Da iawn,' meddai Mr Garraway. 'Da iawn wir. Wela i di dydd Llun.'

Aeth Marty i eistedd wrth ymyl Gracie a daeth Tad-cu tuag atyn nhw.

'WWWFF!' meddai wrth eistedd i lawr, wedi blino'n lân ar ôl dawnsio am oriau.

Roedd e wedi rhoi hedyn i bawb wrth iddyn nhw adael y parti. Wedi gwasgu hedyn i'w dwylo fel petai e'r anrheg fwyaf gwerthfawr yn y byd. Ac mewn rhyw ffordd, dyna oedd e. Rhoi hedyn i dyfu. Rhoi gobaith. Hedyn bach allai fod yn unrhyw beth y dymunen nhw iddo fe fod.

'Dwi wedi cael amser wrth fy modd,' meddai, a'i lais yn ddwfn a bodlon.

'A fi,' meddai Gracie.

'Fi hefyd,' meddai Marty.

'Ond chi'n gwbod be?' ychwanegodd Tad-cu.

Edrychodd Marty a Gracie i fflamau olaf y tân wrth i ddiwrnod newydd ddeffro o'u cwmpas. Arhosodd Tad-cu am eiliad ddramatig, er mwyn hoelio sylw'r ddau.

'Dwi wastad wedi bod eisie hedfan… Faint mae ciwcymbyr mawr yn pwyso, tybed?'

Edrychodd Marty a Gracie ar ei gilydd, yn anghrediniol. Roedd Tad-cu'n tapio'i fys ar ei ên ac yn ddwfn yn ei feddyliau ei hun.

'Sgwn i allwn ni roi adenydd ar un…?'

Dyma restr o bethau sydd gan Tad-cu:

687,987,679,090 o hadau pwmpen (mae LOT o hadau ynddyn nhw!)

1 ŵyr, sy'n ei garu'n fawr

1 ferch, sy'n dod i'r rhandir i gael te gydag e weithiau

Stôr ddiddiwedd o syniadau

Dyma restr o bethau sydd gan Marty:

1 tad-cu, sy'n ei garu'n fawr

1 fam, sy'n chwerthin mwy erbyn hyn ac yn ceisio'i gorau glas i wella, er mwyn y ddau ohonyn nhw

1 ddawnswraig, sy'n ffrind gorau

Stôr ddiddiwedd o syniadau

A chi'n gwybod be? Mae hynny'n fwy na digon.

Y DIWEDD

YR AWDUR

Mae Caryl Lewis yn awdur nofelau a llyfrau plant ac yn sgriptwraig, sydd wedi ennill gwobrau lu. Mae ei nofel gyntaf, *Martha, Jac a Sianco* (2004), yn cael ei chyfrif yn un o glasuron cyfoes llenyddiaeth Gymraeg, ac yn cael ei hastudio mewn ysgolion. Mae'r ffilm sy'n seiliedig ar y nofel – wedi ei sgriptio gan Caryl ei hun – wedi ennill 6 gwobr BAFTA Cymru a Gwobr Ysbryd yr Ŵyl yng Ngŵyl Cyfryngau Celtaidd 2010. Mae hi hefyd wedi sgriptio cyfresi teledu fel *Y Gwyll* a *Craith*. Mae'n ddarlithydd gwadd sy'n dysgu Ysgrifennu Creadigol ym Mhrifysgol Caerdydd ac yn byw gyda'i theulu ar fferm yng Ngoginan ger Aberystwyth.

Y DARLUNYDD

Mae George Ermos yn ddarlunydd, gwneuthurwr, a darllenydd brwd o Loegr. Mae'n gweithio'n ddigidol ac wrth ei fodd yn darlunio popeth sy'n hynod a llawn rhyfeddod. Mae'n mwynhau creu celf newydd o hen ddiwylliannau'r byd mae'n darllen amdanyn nhw ac yn eu harchwilio.

Holwch am bris argraffu!
www.ylolfa.com